JULIANO **POZATI**

EXOCONSCIÊNCIA

Autor:
Juliano Pozati

Preparação de texto:
Flavia Araujo

Revisão:
3GB Consulting
Rebeca Micheloti

Projeto gráfico:
Jéssica Wendy

Capa:
Juliano Pozati
Jéssica Wendy

DADOS INTERNACIONAIS DE CATALOGAÇÃO NA PUBLICAÇÃO (CIP)

Pozati, Juliano
    Exoconsciência : um estilo de vida em sintonia, conexão,
comunicação e cocriação para realizar o extraordinário /
Juliano Pozati. — Porto Alegre : Citadel, 2022.
    192 p.

ISBN: 978-65-5047-199-6

1. Evolução espiritual 2. Pluralidade dos mundos
3. Espiritualidade I. Título

22-6585   CDD - 133

Angélica Ilacqua - Bibliotecária - CRB-8/7057

Produção editorial e distribuição:

 CITADEL
Grupo Editorial   contato@citadel.com.br
                     www.citadel.com.br

JULIANO **POZATI**

EXOCONSCIÊNCIA

UM ESTILO DE VIDA EM SINTONIA, CONEXÃO, COMUNICAÇÃO
E COCRIAÇÃO PARA REALIZAR O EXTRAORDINÁRIO

CITADEL
Grupo Editorial

2022

SUMÁRIO

INTRODUÇÃO

INTRODUÇÃO

Coisas curiosas acontecem todos os dias numa escola filosófica...

> **Maria Naccheri** · há 2 dias
> Cada vez que assisto as aulas me sinto num ambiente espiritual pedagógico que toca direto no cardíaco, impossível não se emocionar, não chorar, não rir. É tudo junto e mais um pouco 🦥 Gratidão 🙏 ✨ 🌀
>

Muita gente... mas muita gente mesmo, partindo de sua experiência pessoal, me descreve esse "ambiente espiritual pedagógico" quando começa sua jornada de estudos no Círculo (a escola filosófica que fundei), seja em nossos cursos abertos ou fechados. São pessoas que não se conheciam previamente, estão em cidades e momentos de vida distintos, com diferentes *backgrounds*. Elas têm em comum um certo desconforto com os paradigmas da nossa sociedade, um desejo secreto por algo melhor, um suspiro de esperança por algo a que elas ainda não aprenderam a dar nome e, de certa forma, certa solidão nesse caminho de busca.

Até aí, tranquilo. "Alunos empolgados", "avatar bem identifica-do", "marketing bem feito", você poderia dizer. Só que muita gente passa a estudar o conteúdo do Círculo em vídeos e se vê à noite, em seus sonhos durante o sono, num *campus* metafísico muito amplo, tendo aulas avançadas comigo, com General Uchôa (nosso "patro-no espiritual"), seres multidimensionais, extraplanetários ou com outros professores do Círculo. Muitos se lembram de detalhes que são coincidentes em diferentes relatos; lembram-se das instruções que receberam para trabalhos específicos em seu contexto; dicas preciosas que conciliam questões que havia muito os impedia de avançar em certas áreas da vida. Voltam desses sonhos com certo senso de sentido que muda concretamente o seu jeito de experi-mentar a realidade.

São ideias ou respostas às questões práticas do dia a dia, como carreira, propósito, novos negócios, criação dos filhos, decisões estratégicas sobre o rumo de uma empresa, uma mu-dança radical na alimentação ou estilo de vida. Tudo isso obti-do por meio de sonhos, exercícios de meditação e sintonia, da intuição ou mesmo de pensamentos latentes que surgem como vozes mentais sobre as quais não temos controle do fluxo de en-cadeamento de ideias e que nem de longe parecem ser de nossa autoria. Como explicar fenômenos assim, cada vez mais comuns e recorrentes em nossos dias?

(...) a intuição é um tipo de percepção que não passa exatamen-te pelos sentidos; registra-se no nível do inconsciente, e é onde abandono toda tentativa de explicação, dizendo-lhes: "Não sei como isso se processa". (...) Não consigo dizer como essas coisas acontecem, entretanto, a realidade está aí, e os fenômenos são comprovados. Sonhos premonitórios, comunicações telepáticas

etc. são intuições. Continuamente venho presenciando esses fatos, e estou convencido de sua existência.[1]

É certo que o desespero que temos de significar tais experiências pode revelar a grande crise de sentido em que todos nós estamos mergulhados na sociedade moderna. Mas justamente essa
**experiência de construção de sentido no tempo, em que eventos
aparentemente aleatórios encontram um eixo comum a partir
da consciência, é parte do que chamamos Exoconsciência.**

Apesar de me interessar muito pelos avanços que a neurociên-
cia tem realizado no que tange ao campo de pesquisas da mente
humana, é importante ressaltar que o conhecimento que compartilho neste livro não tem o compromisso de justificar ou validar a
mecânica científica do processo. O que compartilho é fruto de um
conhecimento empírico, de um "saber que nasce do sabor" que experimento todos os dias em minha vida interior, relações pessoais,
escola e comunidade. Certos saberes não cabem na moldura de
papers científicos. A publicação de um estudo de mil páginas sobre
o sabor do chocolate seria ineficaz em proporcionar a experiência
de saborear uma boa barra suíça. Não sou físico, químico, neuro-
cientista, psiquiatra ou coisa do tipo. **Neste livro falo e compartilho conhecimentos a partir do meu lugar de experimentador.**
Sou, por natureza, observador dos fenômenos que experimento, e
deduzo empiricamente o seu funcionamento a partir daquilo que
sou capaz de compartilhar e multiplicar no processo de construção
de sentido que a comunidade escolar do Círculo trilha.

---

1. JUNG, Carl Gustave. *Os fundamentos da psicologia analítica*. São Paulo:
Editora Vozes, 2017. E-book.

Tenho milhares de alunos aprendendo a descobrir seus próprios sabores a partir do saber que eu compartilho. Talvez pareça um absurdo, talvez pareça um horizonte grande demais, mas só é absurdo se quisermos enxergar esse horizonte através do buraquinho da fechadura de nossa própria existência cotidiana, limitada ao insuportável passar dos dias que nos entorpece e distrai das verdadeiras urgências do processo evolutivo.

Boa leitura! Se você tiver alguma dúvida, nos encontramos no *campus* metafísico do Círculo durante os seus sonhos!

Juliano Pozati

A pessoa comum é
influenciada pelo meio
ambiente. O homem de
concentração molda
a própria vida.[2]

2. YOGANANDA, Paramahansa. *Como despertar seu verdadeiro potencial*.
São Paulo: Pensamento, 2019. E-book.

CAPÍTULO 1

O QUE É EXOCONSCIÊNCIA?

O QUE É EXOCONSCIÊNCIA?

Em verdade, nada disso se afigura absurdo, a não ser que a gente queira impor nossas próprias limitações à infinita riqueza da realidade universal.

General Uchôa

São poucas as pessoas que têm familiaridade com este termo: exoconsciência. E essa é uma palavra muito peculiar. Tive uma passagem pelos grupos da ufologia brasileira porque produzi o documentário *Data Limite segundo Chico Xavier*, que ficou relativamente famoso no Brasil. O filme junta espiritualidade, ufologia, consciências cósmicas, tudo isso "costurado" por precognições do famoso médium brasileiro Chico Xavier. Em uma noite em meados de 2017, o pessoal de casa já tinha ido dormir e eu estava no meu escritório, planejando o ano seguinte: minhas metas, objetivos, projetos e, sobretudo, o meu propósito.

Eu estava em meditação, já em um estado alterado de consciência. A casa estava quieta. Enquanto eu meditava, pensava que a ufologia já não fazia sentido para mim, afinal, a sigla UFO vem do inglês *Unidentified Flying Object*, que significa "objeto voador não identificado", e o que me interessava àquela altura do campeonato não era o objeto voador dito não identificado, mas, sobretudo, quem eram as humanidades por trás daqueles objetos que estavam, estão e sempre estarão visitando a atmosfera da Terra. Não fazia mais sentido para mim falar de ufologia, porque os objetos já não são "não identificados". Na minha opinião, eles estão muito mais do que identificados. A questão era saber quem está operando e por que esses seres estão aqui, o que eles querem conosco e que tipo de relacionamento podemos ter com eles. Uma nova configuração de consciência despertou em mim, e a palavra surgiu no meu plano mental, nítida como cristal: **exoconsciência!**

Se havia a exopolítica, que pensa a política para fora do planeta Terra, havia, na minha opinião, chegado o momento de começarmos a pensar a **exoconsciência, a consciência orientada para além dos limites da realidade onde nos contemos,** com o intuito de integração, de intercâmbio com os seres e humanidades que estão um passo à nossa frente, mas que desejam colaborar com a nossa jornada, segundo a Lei da Fraternidade.

(...) na realidade, a intuição é uma função muito natural, uma coisa perfeitamente normal e até mesmo necessária, pois nos coloca em contato com o que não podemos perceber, pensar ou sentir, devido a uma falta de manifestação concreta.[3]

Logo, fui ao Google pesquisar a palavra exoconsciência. Não encontrei nenhuma menção ao termo em língua portuguesa. A palavra simplesmente não existia em nosso vocabulário. Arrisquei em inglês e encontrei o trabalho da Dra. Rebecca Hardcastle Wright, PhD. Depois de duas horas ao telefone, nós nos tornamos

---

3. JUNG, Carl Gustave. *Os fundamentos da psicologia analítica*. São Paulo: Editora Vozes, 2017. E-book.

"melhores amigos". Algo interessante nesse encontro com ela foi que, ao conhecê-la, Rebecca me contou que havia tido uma experiência semelhante à minha.

Num contexto um tanto quanto descontente, como o em que eu estava, ela descreveu que, acordando certa manhã, subitamente, a palavra exoconsciência surgiu no seu plano mental. Na descrição dela, foi como se **"a palavra se tornasse carne e habitasse cada átomo do seu ser"**. Rebecca faz parte de um grupo de trabalho especial liderado pelo astronauta Edgar Mitchell, composto por pessoas que mantinham constante contato multidimensional e traziam informações que pautavam a tomada de decisão estratégica dos seus projetos. **"A consciência é a fronteira final"**, afirmava ele.

Exo vem do grego e refere-se ao que é externo, ao que está fora. Ao criar o termo exoconsciência, a intenção da Dra. Rebecca foi estabelecer "o estudo das dimensões extraterrestres da consciência humana: a origem, dimensões, talentos e habilidades da consciência humana que nos conectam diretamente com o cosmos e seus habitantes".

"Fundamos o Instituto para Exoconsciência quando percebemos isso como um próximo passo em nossa história. Muitos de nós somos contatados, temos constante comunicação com extraterrestres, e no Instituto, usando a palavra exoconsciência, sentimos que estávamos indo em direção a um novo território. Definimos **exoconsciência como a habilidade humana inata de contatar, comunicar-se e cocriar com extraterrestres e seres multidimensionais,** e por isso nos chamamos de humanos exoconscientes", conta a Dra. Rebecca.

No Brasil, a partir do trabalho do Círculo Escola Filosófica, propusemos um pequeno ajuste semântico. Para nós, **exoconsciência é a habilidade natural que todos os seres humanos têm** de entrar em sintonia, conexão, comunicação e cocriação com seres e humanidades multidimensionais.

Nós acrescentamos o passo **sintonia** antes de **conexão**. Tudo o que vemos em termos de movimento global acerca de técnicas de relaxamento, autocentramento, visualização criativa e *mindfulness* é apenas um primeiro passo. Essas técnicas trazem a mente para o estado de presença. Essa é a porta ou a chave, e é só o primeiro passo para um estado de **sintonia**.

Defino o estado de sintonia como **uma predisposição mental ativa e empreendedora que parte do estado de presença.** Quem está em estado de sintonia já não está preso ao passado, nem preso ao futuro, não está se ocupando com aquilo que vem ou com aquilo que foi. **A pessoa está aqui, agora, vivendo o presente que o presente é.**

Nesse estado de predisposição mental, a sintonia nos leva à conexão. Defino **conexão como um encontro vibratório das intenções mentalizadas e envolvidas no processo.**

Se o homem pudesse contemplar com os próprios olhos as <u>correntes de pensamento</u>, reconheceria, de pronto, que <u>todos vivemos em regime de comunhão</u>, segundo os <u>princípios da afinidade</u>. A associação mora em todas as coisas, preside todos os acontecimentos e comanda a existência de todos os seres.[4]

A qualidade do meu estado de sintonia define a corrente de pensamento com a qual me conecto mentalmente (princípio de afinidade). A conexão não é outra coisa senão um efeito direto da

_____

4. EMMANUEL (Espírito). *Pensamento e Vida*. Psicografado por Francisco Cândido Xavier. Brasília: Federação Espírita Brasileira, 2016. p.35.

Lei da Associação tratada por Emmanuel na obra *Pensamento e Vida de Chico Xavier*.

> Assim também na vida comum, a alma entra em ressonância com as correntes mentais em que respiram as almas que se lhe assemelham. **Assimilamos os pensamentos daqueles que pensam como pensamos.**
>
> É que sentindo, mentalizando, falando ou agindo, **sintonizamo--nos** com as emoções e ideias de todas as pessoas, encarnadas ou desencarnadas, da nossa faixa de simpatia.[5]

A partir dessa conexão, uma dimensão do seu ser entrará no processo de **comunicação** com outros seres que coabitam a mesma faixa vibratória. Nessa etapa, há um **fluxo informacional ativo e interativo em prol de um projeto de realização.**

Até aqui você pode elucubrar que meu conceito nada tem de novo sobre a ideia de mediunidade, prática espiritista de contato com espíritos e outras entidades metafísicas. Talvez isso soe um pouco parecido de fato com os conceitos de mediunidade, transcendência e paranormalidade. Mas, na verdade, todas essas coisas permeiam o conceito e o contexto de exoconsciência. Qual a diferença fundamental? É a palavra **cocriação.**

Para mim, a mediunidade e a transcendência são pautas relevantes do nosso tempo. Enquanto entendermos o universo como uma realidade à parte, separado de nós, viveremos num permanente estado de isolamento e polaridade. **Os opostos são reconciliados a partir da consciência de que NÓS SOMOS O**

5. EMMANUEL (Espírito). *Pensamento e Vida*. Psicografado por Francisco Cândido Xavier. Brasília: Federação Espírita Brasileira, 2016. p.36.

JULIANO POZATI

UNIVERSO. E essa consciência, de que **"eu moro dentro do Deus que mora dentro de mim"**, não é apenas fruto do conhecimento racionalmente processado e elaborado em nós. Esse é um "saber que vem do sabor que saboreamos"; é preciso provar empiricamente essa realidade, senão o risco de "falarmos" do que não sabemos, como os antigos e icônicos fariseus, será grande! Falaremos da consciência da unidade, mas na prática viveremos a separação.

Para mim, a mediunidade com autonomia (livre do paradigma religioso institucional) é a mãe da Nova Terra. É ela quem nutre, inspira, dá forma e viabiliza em nós esse novo mundo. Há uma antiga profecia do *Livro de Joel* que fala do impulso cósmico que o planeta Terra receberia chegando próximo ao período de transição entre as Eras. Esse antigo manuscrito hebraico fala do fim dos dias de um ciclo. Ele diz assim:

> Acontecerá nos últimos dias, que derramarei do meu Espírito sobre todo ser vivo: profetizarão os vossos filhos e as vossas filhas. Os vossos jovens terão visões, e os vossos anciãos sonharão. Sobre os meus servos e sobre as minhas servas derramarei naqueles dias do meu Espírito e profetizarão.[6]

Sim, a mediunidade com autonomia é a grande mãe, o selo, o sinal que marca a transição planetária e nos leva a empreender a Nova Terra. **O despertar das nossas habilidades psíquicas de sensopercepção espiritual tem um propósito específico neste momento histórico: tornar-nos exoconscientes,** protagonistas

---

6. Joel 2:28.

multidimensionais na construção do novo patamar evolutivo que beneficiará a todos.

Cada um de nós, com seu arranjo único de Talentos Naturais, canaliza de forma individualizada uma porção deste "Espírito Cósmico": uns são "profetas" que ajudam a expandir consciências por meio do que ensinam; outros têm "visões" que materializam o futuro em projetos sustentáveis; outros ainda têm "sonhos", e pela ressignificação simbólica da filosofia humana, eles a conectam cada vez mais ao pensamento da família humana universal. Não tem idade! Não tem classe social! O que "se derrama do Espírito" sobre TODOS são novas energias que vêm do alinhamento do planeta com a Constelação de Aquário para inauguração de uma Nova Era. Os "sinais" que se manifestam em nós não são outra coisa senão <u>a mediunidade, livre do institucionalismo religioso, cada vez mais voltada para a vida prática do dia a dia.</u> O propósito não é outro senão a Nova Terra.

E é aí que a mediunidade é levada para além dos limites compreendidos pelos autores religiosos mais ortodoxos. Quando entro em comunicação e intercâmbio com essas realidades multidimensionais **fora do contexto religioso, como um livre pensador espiritualizado,** posso atingir o próximo nível: a **cocriação.**

Espiritualidade para além dos domínios religiosos

Quando o sapato aperta, qualquer terreno machuca o pé.

Você pode ir para onde for, do jeito que for. Aquele sapato simplesmente não é mais para você. Seu pé não cabe mais ali dentro. Por um certo tempo, aquele sapato o protegeu, ajudou a moldar seus pés e amortecer o impacto da caminhada.

Mas o seu pé cresceu! O crescimento chega, o que é natural e aguardado no seu processo de desenvolvimento, e você já não cabe naquele sapato. As amarras o sufocam, a estrutura o limita, as barreiras o machucam. Talvez por costume você continue com um sapato que o incomoda.

É hora de deixar os sapatos para trás e caminhar livre pela vida. O sapato já cumpriu o papel dele. É hora de o seu pé ter o espaço de que precisa para ser e se mover do jeito que é, livre de limitações impostas pela indústria do sapato.

Agora volte ao começo deste trecho, releia-o trocando as palavras SAPATO por RELIGIÃO e PÉ por ESPIRITUALIDADE, e você vai entender o papel da EXOCONSCIÊNCIA ao propor a formação de **livres pensadores espiritualizados, autônomos em sua sensopercepção, livres e maduros em seu intercâmbio multidimensional,** prontos a cocriar e realizar o novo.

A cocriação com seres de humanidades multidimensionais não é outra coisa senão a expressão da Lei da Fraternidade, segundo o conceito de poder do mestre Yashamil.

Poder, para a Escola Militar, geralmente é definido pela <u>capacidade de fazer, de executar.</u> No mundo em que vivemos, constantemente o poder é confundido com a capacidade financeira ou o poder do capital. Na verdade, o mestre Yashamil define **o poder como a capacidade técnica e objetiva que os seres alcançam de colaborar com a evolução do outro.**

Veja, **o verdadeiro poder está em empoderar,** não em puxar o mérito para si, ou se colocar como uma divindade que está aqui à disposição para a realização, mas muito mais do que isso! Está na **colaboração, no trabalho lado a lado, ombro a ombro. Cocriação é a melhoria constante da condição humana a partir de um trabalho de colaboração fraterna e multidimensional.**

O epicentro da exoconsciência visa produzir o <u>empreende-</u> <u>dorismo multidimensional</u>. Empreender, nesse contexto, não significa outra coisa senão **decidir-se a realizar,** decidir criar um mundo melhor para todos, a partir do seu contexto de vida.

Na definição em português, ainda tomei a liberdade de retirar a palavra "extraterrestre". Não tenho problema com a palavra, mas penso que ela é um pouco pedante. Extraterrestre é um pouco geocêntrica demais, como se a Terra fosse o centro e todo o resto do Universo fosse "extra". Não acho muito polido o seu uso, já que estou partindo desse ponto de vista de sintonia, conexão e comunicação sincera e transparente para cocriação. Não acho polido simplesmente chamar esses amigos multidimensionais de "extraterrestres". Sempre imagino um peixe olhando para mim e dizendo: "Lá vem aquele 'extraoceânico' abduzir a minha família!". Não faz sentido.

"Seres e humanidades multidimensionais" engloba todas as possibilidades da consciência em sua expressão. Vai para além da dimensão onde sentimos viver. Expande nossas possiblidades para além de todos os limites. Por isso, exoconsciência não nos remete a um estado de religiosidade, de dogmatismo e de regras a serem seguidas. **Ela nos transporta a um estado de livres pensa-** **dores espiritualizados dispostos a realizar.** É assim que entendemos e definimos os termos e desse modo consideraremos essas definições ao longo desta obra.

Fixando o conceito

EXOCONSCIÊNCIA é a habilidade natural que temos de entrar em sintonia, conexão, comunicação e cocriação com seres e humanidades multidimensionais.

SINTONIA

Predisposição mental ativa e empreendedora a partir do estado de presença

CONEXÃO

Encontro vibratório das intenções mentalizadas envolvidas no processo

COMUNICAÇÃO

Fluxo informacional ativo e interativo em prol do projeto

COCRIAÇÃO

Melhoria constante da condição humana a partir de um trabalho de colaboração fraternal e multidimensional

Exoconsciência é a bandeira principal levantada pelo Círculo, uma escola filosófica para livres pensadores espiritualizados. No curso de Introdução à Exoconsciência, do Círculo, o conceito é aprofundado e discutido em contínuo estímulo à Cocriação Exoconsciente de inovações que tragam a melhoria do nosso modo de viver.

O que é uma egrégora exoconsciente?

Quando falamos de exoconsciência, assumimos a existência de seres e humanidades multidimensionais em comunhão, formando uma "egrégora". Mas o que é isso na prática?

Egrégora é a reunião de forças mentais e de seres em torno de um ideal, de um projeto ou de uma realização. A Lei da Fraternidade diz que aquele que sabe mais cuida daquele que sabe menos. Esse é o real exercício do poder verdadeiro, que é a capacidade de colaborar para que outros atinjam o seu potencial máximo no caminho evolutivo.

Quando falamos de seres e humanidades multidimensionais dispostos a colaborar conosco, estamos falando de seres que deram um passo a mais e que estão dispostos a cooperar com aqueles que sabem menos. Vou usar o exemplo dos Médicos Sem Fronteiras, que conhecemos bem. Esse processo da Lei da Fraternidade pode ser explicado com esse exemplo.

O movimento dos Médicos Sem Fronteiras se debruça e se desdobra para socorrer a realidade humana em estado de calamidade em nosso planeta, onde quer que aconteça. Eles não fazem isso pelo dinheiro ou pelo *status*, nem pela exposição pública; fazem isso porque é o que precisa ser feito, pois aquele que pode mais precisa cuidar daquele que pode menos.

Todos já fomos cuidados, desde quando nascemos. Não somos mamíferos autônomos desde o nascimento. Recebemos cuidados, e isso faz parte da natureza da família humana, faz parte da evolução geral em que aquele que sabe mais, aquele que pode mais, cuida daquele que ainda pode menos.

"Leite para as crianças e carne para os homens formados" é um dos preceitos do hermetismo. Quando olho para essa grande família universal, o que percebo é a oportunidade que esses seres encontram de servir e evoluir no exercício e prática do amor e do poder, no sentido colaborativo, com a nossa evolução. Esses seres trazem exemplos de como as suas sociedades funcionam, de como eles superaram os paradigmas em que viviam, e o mais importante: **não estão aqui para roubar o mérito da nossa realização, mas para colaborar. Quem vai realizar as mudanças de que precisamos somos nós mesmos!**

À medida que a nossa consciência se expande e se alinha com essa pauta da evolução da comunidade humana e da construção de um mundo melhor, quanto mais olhamos para esses modelos e nos alinhamos a eles, mais nos alinhamos a essas possibilidades e mais entramos na faixa vibratória mental desses seres que desejam colaborar para que isso aconteça. Falamos de um mundo melhor no sentido de ser mais justo, mais equilibrado, mais har-mônico, mais saudável, mais feliz, mais sustentável do ponto de vista de suficiência e prosperidade, e que de alguma forma seja equânime.

Não é raro perceber seres humanos exoconscientes tendo ideias inovadoras, projetos inovadores em todas as áreas da vida, em diferentes setores da sociedade, de energias renováveis a ali-mentação saudável, de práticas integrativas de medicina e saúde até a promoção de valores espirituais, de filosofias que nos liber-tam das correntes paradigmáticas que sempre enfrentamos e nos colocam num fluxo livre de pensamento e de expressão do nosso ser multidimensional, sempre com foco no bem maior.

<u>O bem, segundo Platão, é aquilo que nos une, aquilo que faz de todos nós um.</u> **O retorno à unidade original, o maior desejo de Jesus, é que todos sejamos um como "eu e o Pai somos um".**

A complexidade da nossa sociedade exige de nós soluções inovadoras em diferentes áreas para que continuemos o progres-so evolutivo sem necessariamente deteriorar e destruir as relações humanas: de cada um consigo mesmo, com os outros, com o meio, com o Todo. Esse é o desafio do empreendedorismo que precisa permear a nossa pauta de atitudes nesse processo de comunicação e cocriação com os seres e humanidades multidimensionais.

A semente da exoconsciência no Brasil

Mesmo que o Círculo esteja à frente do movimento de pensamento e manifestação da exoconsciência no Brasil, as sementes desse pro-jeto vieram muito antes do estabelecimento da nossa escola. Elas remontam ao trabalho do general Alfredo Moacyr Uchôa.

Professor de mecânica racional da Academia Militar das Agulhas Negras, Uchôa era também pesquisador de fenômenos paranormais e entusiasta das realidades multidimensionais e extraterrestres. Conhecido no *Correio Braziliense* como "o general das estrelas", conduziu pesquisas de campo na fazenda de Alexânia, interior do estado de Goiás, onde eventos extraordinários tiveram palco: <u>contatos visuais objetivos com naves extraterrestres e seus tripulantes, manifestações luminosas que excedem a compreensão dos físicos da Terra, além de fenômenos transcendentes e telepáticos.</u>

A partir do seu relacionamento com os seres que lá se apresentaram, o general e seu grupo de pesquisas conduziram experimentações diversas. Com o resultado, Uchôa publicou diversos livros no Brasil. A esse respeito, produzimos uma série especial com cinco episódios sobre os **Contatos Extraterrestres na Transição Planetária,** cujo link você pode acessar no QR Code a seguir.

Contatos Extraterrestres na Transição Planetária

Série gratuita em que estudamos dois importantes livros de General Uchôa: *Mergulho no Hiperespaço* e *Uma Busca da Verdade.* São cinco aulas abertas conduzidas por Juliano Pozati em que abordaremos as evidências dos contatos, o que é a ufologia esotérica, suas descobertas e qual o caminho para nos tornarmos cidadãos exoconscientes.

Exoconsciência é uma habilidade e pode ser desenvolvida

Partimos do princípio de que a <u>exoconsciência é uma habilidade inata a todos os seres humanos.</u> Ela é natural, todos nascemos com ela. Entretanto, veja, **nascemos com duas pernas, mas nem por isso nascemos caminhando.** As nossas pernas são inatas, são naturais ao nosso corpo, mas precisamos aprender a engatinhar, a nos movimentar, a andar, a nos equilibrar e a correr.

A mesma coisa acontece com a exoconsciência, com o processo de sintonia, conexão, comunicação e cocriação com seres e humanidades multidimensionais. Precisamos aprender e nos desenvolver.

Os caminhos são muitos e partem do nosso conhecimento e compreensão, da autoconsciência da nossa natureza enquanto seres humanos multidimensionais. A partir daí, cada um encontra um caminho específico. E acredite, muitos caminhos levam a essa Roma.

Muitas pessoas o encontram no espiritismo, outras no espiritualismo, outras na meditação, outras nas culturas orientais, outras na parapsicologia ou em alguma escola filosófica. Muitos começam em um contexto e depois mudam, integram as experiências, e optam por seguir seu próprio caminho. Cada um encontrará, dentro da sua liberdade como pensador espiritualizado, o melhor caminho para gerar a conexão, se sinceramente for isso que quiser.

CAPÍTULO 2

IDENTIDADE, PERTENCIMENTO, FLOW

IDENTIDADE, PERTENCIMENTO, FLOW

Estamos invariavelmente <u>atraindo ou repelindo recursos mentais</u> que se agregam aos nossos, fortificando-nos para o bem ou para o mal, <u>segundo a direção que escolhemos</u>. **Em qualquer providência e em qualquer opinião, somos sempre a soma de muitos.** *Expressamos milhares de criaturas, e milhares de criaturas nos expressam.*[7]

Todos nós somos seres transdimensionais, multidimensionais e interdimensionais. As dimensões da realidade se afetam, e nosso corpo físico tem um senso de percepção multidimensional: simultaneamente vivo corpo-mente-espírito o tempo todo – são o sentimento, a mentalização consciente, o direcionamento consciente da mente, o discurso, a fala, os nossos atos... Tudo isso nos leva à sintonia de frequências, com emoções e ideias de todas as pessoas – encarnadas ou desencarnadas – que pensam como a gente. **Tudo está relacionado ao seu nível de autoconsciência, dos seus talentos, da sua identidade, do seu lugar na vida e no mundo, e o quanto você canaliza essa energia para os seus projetos.**

---

7. EMMANUEL (Espírito). *Pensamento e Vida*. Psicografado por Francisco Cândido Xavier. Brasília: Federação Espírita Brasileira, 2016. p.36.

Quando **sei quem eu sou, quando ocupo meu lugar, eu entro no flow** – esse estado de saber, esse conhecimento interno que traz à tona a nossa identidade e nos permite exercitar a nossa cidadania espiritual hoje.

Identidade, pertencimento e **flow** são três concepções que criamos no Círculo e que precisam estar claras se quisermos entrar em sintonia. É preciso perceber que **a cocriação exoconsciente parte da nossa habilidade mediúnica**, e a nossa habilidade mediúnica, nossa habilidade de contato com seres e humanidades multidimensionais passa substancialmente pelo conceito de sintonia. Se não somos capazes de gerar em nós a predisposição mental necessária que direciona a nossa atenção, nosso foco consciencial para o contato com essas realidades, não conseguiremos atingir a cocriação exoconsciente. Para isso, é preciso que **identidade, pertencimento** e **flow** estejam bem estabelecidos, e é sobre isso que vou tratar com você agora.

Muito se fala hoje sobre "estar no flow", isto é, estar no fluxo, entrar naquele estado de realização que nos faz perder a noção do tempo e do espaço e sentir uma satisfação enorme. Parece que quanto mais fazemos uma coisa, mais nos energizamos. Não é que não nos cansamos fisicamente, porque o cansaço é inerente ao corpo físico, mas a nossa disposição não se exaure, a nossa vontade também não.

Uma coisa é estar fisicamente cansado, chegar no final do dia e querer descansar, ficar tranquilo, dar uma relaxada. Isso é natural. **Eu falo na disposição da vontade, da energia mental do fazer.** O flow leva a esse estado em que parece que perdemos a noção do tempo, do espaço, e ficamos completamente imersos naquilo, com uma sensação de prazer muito gostosa. É como uma paixão. Sabe quando você está apaixonado e não se cansa, não sente exaustão e faz tudo para estar com aquela pessoa? Não vemos obstáculos, porque aquela paixão nos move! Damos um jeitinho para estar juntos, escapamos na hora do almoço para nos encontrar, dar uns beijinhos e não sei mais o quê! Isso acontece porque existe uma força que nos impele: **a vontade!**

O fluxo acontece quando encontramos esse lugar da vontade, essa força que flui a partir de nós e ao mesmo tempo nos energiza. Hoje, no ambiente corporativo, muito se fala sobre o fluxo, sobre "estar no fluxo" e coisas assim. **Entramos no fluxo quando encontramos o nosso propósito.**

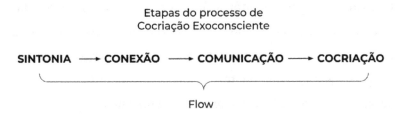

Etapas do processo de
Cocriação Exoconsciente

SINTONIA ⟶ CONEXÃO ⟶ COMUNICAÇÃO ⟶ COCRIAÇÃO

Flow

O *flow* é uma porta de acesso para a cocriação exoconsciente. Posso dizer que o *flow* permeia todas as etapas do processo exoconsciente, mas a exoconsciência não se resume ao fluxo. Ela vai além.

Não acontecerá a cocriação exoconsciente se não estivermos no fluxo. Para que ele aconteça, existe uma etapa anterior: **o pertencimento.** Pertencimento não significa que você será membro de um clube, com uma carteirinha de acesso. Para explicar o pertencimento, podemos recorrer à escola de Bert Hellinger e ir além: **pertencimento significa ocupar o seu lugar no mundo, ocupar o seu lugar na ordem da vida.**

Quando pensamos em constelação familiar, por exemplo, ocupar o seu lugar na ordem significa ter noção de quem você é na ordem familiar. Eu sou o filho mais velho, por exemplo. Ocupo o lugar do filho mais velho em uma relação familiar. Se houver alguma inversão de lugares, e o mais velho passar a agir como se fosse o pai, isso acaba sendo prejudicial para todos no contexto familiar, porque um membro começa a carregar uma carga que não é dele, começa a ocupar um lugar que não é dele, e isso distorce o fluxo, como quando aparece um nó na mangueira do seu jardim.

Expandindo esse conceito, no Círculo, **o pertencimento é o estado em que o sujeito ocupa o seu lugar na vida e no mundo.** Mas note, não é especificamente ou apenas determinado lugar em uma instituição na qual a pessoa esteja inserida (embora possa ser assim também). É muito mais do que isso! **O pertencimento é um endereço vibratório da sua mente, um lugar mental, um estado de espírito.** Quando ocupo o meu lugar no mundo, estabeleço, conquisto e manifesto o estado de espírito que me faz ocupar esse lugar, que me faz pertencer a uma ordem maior das coisas. E pertencendo a essa ordem, eu entro no fluxo.

Pense em uma torneira guardada na gaveta. Sai água dela? Não. Nem se abri-la completamente. E por que não sai água da torneira que está guardada na gaveta? Porque ela não está ocupando o seu lugar. Quando vai sair água da torneira? Quando ela ocupar o seu devido lugar, ou seja, quando alguém pegar a torneira e a rosquear no cano. Aí, então, ao abrir a dita-cuja, jorrará água "milagrosamente".

Essa imagem é tão simples e ao mesmo tempo eficiente. Se na sua vida você não se sente no fluxo, no *flow*, se não se sente energizado pelas atividades que exerce, se não sente que está realizando, construindo, fluindo, provavelmente não está "rosqueado" no devido lugar; você está fora e não está desempenhando a sua função na vida.

Como posso ocupar o meu lugar? Como encontro esse pertencimento? A pessoa diz: "Odeio trabalhar naquela empresa". Ela começa a reclamar do patrão, dos colegas, da função, diz que não quer mais trabalhar ali, não quer mais isso, mais aquilo. "Definitivamente não estou rosqueado no lugar certo, Pozati!" Ok, tudo bem, acontece! Pode ser que seja o momento de fazer uma transição; é lícito programar uma transição na carreira, na família, uma mudança de cidade, uma reorganização, está tudo bem. Mas, antes de terceirizar a responsabilidade dos seus problemas para o "lugar" onde você está, na empresa onde você trabalha, nas pessoas que dividem a vida com você, é preciso encarar uma etapa anterior na sua jornada.

O pertencimento, esse estado de espírito daquele que ocupa o seu lugar na ordem da vida, é o estado de encontro com o seu propósito. E para pensar em propósito, a gente precisa pensar em **identidade.** Quem é você? Quais as suas maiores forças? Quais os seus maiores talentos naturais? Quais os seus maiores desafios evolutivos?

$$i + p = f$$

IDENTIDADE $\longrightarrow$ PERTENCIMENTO $\longrightarrow$ FLOW

A fórmula do fluxo

"Pozati, você está dizendo que tudo começa com autoconhecimento?" Sim, criatura! Tudo começa com o bendito autoconhecimento! E mais do que o autoconhecimento, com a autoconsciência; porque autoconhecimento todos buscam, mas pouca gente chega realmente à autoconsciência. Chegar à autoconsciência é um processo muitas vezes incômodo, com armadilhas em alguns casos. Tenho percebido que os processos ou as jornadas de autoconhecimento focam naquilo que você está fazendo de errado, nos comportamentos terríveis, nos vícios, nas sombras. Ou seja, acabam se tornando um processo de "autodestruimento", autorrebaixamento, autodiminuição, e não de autoconhecimento. Termina que a gente só conhece nosso lado ruim.

Essa é a minha crítica ao termo "reforma íntima". Reformas nunca acontecem no prazo, nunca ficam dentro do orçamento, sempre dão problemas; reforma não é um termo bom. Precisamos atualizá-lo. Entendo o que as pessoas que criaram esse termo queriam dizer, obviamente. Ele serviu para um momento na história, mas hoje não serve mais. Reformamos algo que não tem nada mais a oferecer de bom e que precisa mudar para funcionar. Reformamos algo velho, obsoleto, quebrado.

Nós, seres humanos, não precisamos ser reformados, precisamos ser incentivados a manifestar aquilo que trazemos naturalmente de bom em nosso caminho. Nossos Talentos Naturais! As sementes de potencial já existem em nós e não podem ser desvalorizadas. Esse potencial por vezes é espezinhado, escondido, e muitos, por não terem a oportunidade de desabrochar, adoecem.

O fluxo está intimamente ligado à ideia de identidade! Ele diz respeito a saber quem você é, saber quais as suas forças, as suas habilidades, e conquistar a licença do Universo para ser exatamente aquilo para o qual fomos criados, sermos a melhor versão de nós mesmos.

Coisas estranhas acontecem no processo de autoconsciência da sua identidade

Tenho percebido, em atendimentos individuais de mentoria ou mesmo em grupos de mentorados que participam de imersões comigo, que algumas pessoas, ao descobrirem seus talentos naturais a partir de um processo de autoconhecimento e autoconsciência, ingressam no processo de luto. Estranho, né? O processo de autoconhecimento, de construção da própria identidade, com foco positivo, nos faz passar muitas vezes por um processo de luto.

Isso acontece porque **passamos a vida acreditando em certas coisas negativas sobre nós que não traduzem a realidade**. São coisas que ouvimos, coisas que inventamos ou imaginamos, como uma espécie de fantasias, para que possamos dar "conta do recado". Até certo ponto isso é normal, faz parte do desenvolvimento e da experiência humana comum. Acontece com todos nós e ainda acontecerá muito. Eu mesmo não estou aqui na posição de um missionário de luz, que já passou por tudo na vida, que já cometeu todos os erros e superou todas as coisas e agora tem uma experiência iluminada para compartilhar, não!

Falo da condição de alguém que constantemente **vive o luto da autoimagem criada** no processo de autoconhecimento. Ao longo da vida, criamos uma imagem muito desvalorizada de nós mesmos. Pudera! Passamos a vida inteira tentando "melhorar aquilo em que não somos bons", corrigir nossos erros, nossas falhas e nossas sombras. E qual o problema dessa abordagem? Ao focar no que precisa ser melhor, focar naquilo em que não sou bom, me esqueço de olhar para os meus talentos naturais, para aquilo em que eu sou naturalmente bom, pujante em energia, prazer, alegria e felicidade.

A menina vai superbem em artes, mas está com dificuldades em matemática. Os pais contratam uma professora de reforço em...? Matemática! Claro! Está errado? Não! Precisamos gerenciar nossas fraquezas. Mas por que não contratam também um reforço, um estímulo extra para as artes, se a probabilidade de essa menina chegar à faculdade e escolher fazer cinema ou publicidade é muito maior do que a de escolher fazer contabilidade? Ela flui naturalmente para as artes porque há uma semente de potencial latente nela. **Ao invés de crescer com a certeza de que tem um espírito artístico cheio de potencial (abordagem positiva), ela cresce em torno de uma falsa autoimagem de alguém que é burra em matemática (abordagem negativa).**

O luto no processo de autoconhecimento é um conflito interior que ocorre ao percebermos que a imagem que tínhamos de nós mesmos não traduz a realidade, ou a expressa de uma forma limitada e inútil.

As fases do luto da autoimagem

O luto no processo de autoconhecimento se dá em fases. E quais são as fases do luto? São aquelas pelas quais a nossa consciência, a nossa vida emocional, transita e se encontra no processo de perda, de rompimento, com uma sequência de percepções sobre si mesmo que carregamos conosco ao longo dos anos. O luto não precisa, necessariamente, estar relacionado a um caso de morte, de falecimento. Toda perda, toda separação, todo rompimento ou interrupção de algo que tinha a sua continuidade pode gerar em nós um estado de luto.

Quando algo está bem e acontece uma separação brusca ou um término repentino, com a quebra naquele fluxo de continuidade, o sujeito se vê na ausência de algo que lhe era familiar. Ao se ver diante desse rompimento, muitos entram no primeiro estágio: **negação.** Essas pessoas recorrem a frases do tipo "não, já tô bem, imagina"; "tô bem, sabe, foi melhor assim"; "tô muito melhor agora sem isso, tô maravilhoso..."; "só chorei no dia, mas acabou, sabe?". Essas frases denunciam uma possível fase da negação do rompimento, **negação do sentido de ausência que está ocupando lugar.** Parece paradoxal que a ausência ocupe um lugar na vida da pessoa, mas ela ocupa.

Num segundo momento, a pessoa se vê diante da realidade! Ela "volta para casa" e **dá de cara com a presença da ausência,** a ausência ocupando espaço na mesa de jantar. É aí que começa **a raiva,** o desequilíbrio, porque o contraste fica evidente e gera a consciência. Esse é o momento em que surgem perguntas do tipo "Isso não é justo, por que aconteceu comigo?". E com elas vem a transferência de responsabilidade: a culpa é do outro (ou outra). É a hora de pegar o telefone, ligar e acusar: "Você é um miserável, você já deve estar com outra, não só comigo...", e vem aquela explosão de emoções, de ira e de tudo o que não coopera com a edificação. **Essa explosão de raiva é fruto do impacto do contraste que a nova condição apresenta.** A ausência se manifesta, se faz presente. A nova situação rompe a barreira pseudoprotetora da negação e mostra o que é. A pessoa se vê contrariada por esse contraste e sente dor, sente raiva.

Quem nunca viveu uma fase como essa que atire a primeira pedra! E com ela vem **a tristeza,** a autorrejeição que se manifesta em frases do tipo "Eu me odeio", "esse mundo não tem graça", "por que eu sou assim?", "por que isso só acontece comigo?". **Ma-**

nifesta-se a tristeza porque de algum modo a pessoa constata a ineficiência da raiva na impossibilidade de resolver a questão. Primeiro ela <u>negou</u> que deveria resolver. Depois tenta resolver na força, no embate, e não consegue, porque a <u>raiva</u> não resolve.

A ineficiência na aplicação da força (raiva), que era aquilo que ela tinha em mãos para resolver os problemas, a faz mergulhar na tristeza, no sentimento de ineficiência, de incapacidade. Passada essa fase, começa **a barganha.** Na incapacidade de lidar com a tristeza, sabendo que na força da raiva nada se resolve, negar não vem mais ao caso e a tristeza não resolve, **começa a tentativa de negociar para sair daquele estado incômodo.** "Mas e se eu fizesse isso? Conseguiria aquilo?"

Quando a fase de barganha passa, começa o processo de **aceitação,** no qual retorno à presença depois de experimentar a ausência. **Eu me faço presente na ausência.** Cada um dos contrastes me ensina alguma coisa, e sigo adiante, para o novo momento, me refazendo melhor a cada dia.

NEGAÇÃO → RAIVA → TRISTEZA → BARGANHA → ACEITAÇÃO

As fases do luto não se referem apenas à ausência de uma pessoa física, à morte de alguém ou uma demissão. **Percebo que no processo de autoconhecimento vivemos essa jornada do luto com a nossa autoimagem.** Isso ocorre porque a nossa autoimagem é construída por nós mesmos e está presente todos os dias em nossa vida mental. Mas é uma imagem que muitas vezes não traduz o nosso **verdadeiro potencial,** é uma imagem que confortavelmente nos coloca num lugar de vítimas, dependentes, pobrezinhos, alvos da atenção e das migalhas de afeto e suporte de todos ao nosso redor. Mas, por não traduzir a realidade essencial de nós mesmos, mais cedo ou mais tarde, essa autoimagem criada a partir da abordagem negativa começará a se desfazer e a se reconfigurar.

Começamos a admitir e a entender esse eu, com tudo o que temos e com tudo o que somos. **A aceitação no processo de autoconhecimento é a consolidação da identidade com amor e valorização da própria singularidade.** É chegar à autoconsciência de si mesmo e dizer "ok, esse sou eu, e escolho amar quem sou porque, se sou assim, existe uma razão, um propósito, um lugar de pertencimento na ordem de todas as coisas da vida que somente eu posso ocupar".

Você é a torneira cuja rosca e tamanho são únicos e exclusivos, e terá o seu lugar de pertencimento, igualmente único. O seu papel e a sua história são únicos. Cada história é importante; todas as nossas histórias escrevem a Grande História desse momento da humanidade.

Autoconhecimento e autodesenvolvimento

Autoconhecimento e autodesenvolvimento na sua jornada de iniciação à exoconsciência, em minha concepção, baseiam-se na Psicologia de Pontos Fortes. Já mencionei o flow (fluxo), e comentamos que ele é uma consequência do pertencimento, de ocupação do seu lugar no mundo. É um estado mental, um estado de espírito, que faz cada um ocupar o seu lugar na ordem do mundo, na ordem das coisas da vida. Esse estado é consequência da construção da identidade, ou seja, quando você começa a trazer para a autoconsciência a noção de quem você é.

A psicologia positiva começou a entender que a psicologia convencional produzia excelentes resultados na terapêutica a partir da delineação, da nomeação daquilo que estava mal ajustado no ser humano. Isso diz respeito às limitações causadas no ser humano: seus traumas, angústias, necessidades. A psicologia tradicional consegue promover avanços a partir do momento em que os seres humanos tomam consciência das suas sombras, das suas experiências limitantes, dando nome a esses sentimentos por vezes negativos. **Denominando sentimentos, eu os domino, e não sou mais por eles dominado.** É o primeiro passo no sentido da superação.

Jesus dizia que não se pode expulsar um demônio cujo nome não se saiba. Será que ele falava de um espírito externo ou de um estado de espírito? **O demônio é um opositor dentro de nós mesmos. Trata-se do estado de espírito que gera a oposição e a fragmentação interna em nós,** pois esse é o significado da palavra demônio/satanás: o adversário, opositor, aquele que se opõe, aquele que fragmenta. Por outro lado, a evolução é o movimento que une e gera unidade.

Se a psicologia gera bons resultados ensinando as pessoas a nomearem seus próprios demônios, a psicologia positiva surgiu para ensinar as pessoas a dar nomes para aquilo que elas têm de bom. **Se nomear os nossos demônios nos ajuda a dominá-los, nomear as nossas forças, as nossas potencialidades, também nos ajudará a aplicá-las de maneira prática em nosso cotidiano. Surge a abordagem positiva, de afirmação:** afirmação daquilo que temos de bom em nós.

Essas são ideias do Dr. Donald Clifton, um psicólogo norte-americano reconhecido pela Associação Americana de Psicologia como o pai da **Psicologia de Pontos Fortes.** Clifton começou a fazer os seus estudos na Universidade de Nebrasca. Uma de suas pesquisas durou três anos e foi feita com mil alunos, a fim de determinar quais as técnicas mais eficazes para ensinar leitura dinâmica. Clifton fez uma avaliação inicial nesse grupo de mil alunos e percebeu que eles se dividiam naturalmente em dois grupos. O primeiro lia aproximadamente 90 palavras por minuto. O segundo grupo lia 350 palavras por minuto. Eram muito rápidos naturalmente! Sem que ninguém tivesse ensinado qualquer técnica, eles já liam muito mais rápido que o primeiro grupo.

Aos dois grupos foram ensinadas e aplicadas as técnicas para aumentar a velocidade de leitura, e começaram a surgir os resultados. A primeira coisa que foi constatada é que os melhores resultados estavam nas turmas que tinham os professores mais benquistos pelos alunos. **Isso demonstra que o processo de aprendizagem é um processo afetivo.** Quando não há essa conexão emocional, o processo de aprendizagem se torna mais complicado. A gente gosta de aprender com quem a gente gosta. Ponto.

A segunda constatação foi ainda mais surpreendente. Os alunos que leram 90 palavras por minuto, depois de aprenderem as técnicas, passaram a ler 150 palavras por minuto. Uma melhora de mais de 60%. Quanto ao grupo que inicialmente lia 350 palavras por minuto, a verdade é que não havia muita expectativa sobre eles, uma vez que, sem nenhuma técnica, já liam duas vezes mais rápido do que o primeiro grupo com a nova técnica. Qual não foi a surpresa dos pesquisadores quando eles saíram do patamar de 350 palavras por minuto e foram para o patamar de 2.900 palavras por minuto. Uma coisa extraordinária!

INVESTIR EM NOSSO POTENCIAL NATURAL

Estudo de 3 anos realizado pela Universidade de Nebraska com 1.000 alunos para determinar as técnicas mais eficazes para ensinar leitura rápida.

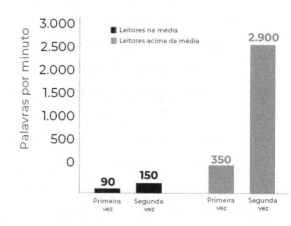

Instituto Gallup

Esse resultado saltou aos olhos de Donald Clifton, que percebeu que temos em nós padrões naturais e recorrentes que são espontâneos e que fazem com que cada indivíduo seja muitíssimo melhor em certas coisas do que em outras. Ao entender essa dinâmica, ele inaugurou uma nova abordagem de autodesenvolvimento.

A abordagem convencional hoje diz para você manter os pontos fortes e trabalhar para melhorar os pontos fracos. Ela prega que os comportamentos podem ser aprendidos e uniformizados. Ensina que existe um modelo ideal de sucesso, e que todos precisam seguir esse modelo ideal para alcançar os seus objetivos. É nessa esteira que surgem aqueles artigos bizarros do mundo corporativo do tipo "Dez hábitos de pessoas de sucesso", "Os sete hábitos dos grandes milionários" e assim por diante. As pessoas comuns são levadas a acreditar que, se desenvolverem aqueles hábitos, ficarão milionárias, alcançarão sucesso e tudo o mais que é prometido.

Eu era pura frustração quando lia esses artigos, porque em geral, da lista dos tais dez hábitos para ser seja lá o quê, eu quase sempre chegava ao sétimo ou oitavo sem marcar nenhum gol! O fato é que o leitor percebe que tem apenas alguns comportamentos indicados, o que o leva a desacreditar que poderá alcançar qualquer promessa ali contida. Ou, ao contrário, ele passa a fazer um esforço tremendo para desenvolver todos aqueles hábitos. Mas o resultado que não aparece nos textos é que o leitor começa a perceber que está adotando todos os hábitos ensinados, mas os resultados não surgem! Ninguém fica milionário! E a primeira pergunta que ele faz é: o que eu fiz de errado?

Definitivamente não fomos treinados <u>para reconhecer, valorizar e investir naquilo que temos de melhor em nós.</u> **O foco sempre está naquilo que nos falta, no que precisamos melhorar para ter bom desempenho.** Isso nos desgasta, estressa e nos coloca num lugar infeliz de "comparação com o outro", como se todos fôssemos obrigados a reproduzir, exatamente da mesma forma, o mesmo "resultado", para encontrar nosso lugar nesta sociedadezinha estranha em que somos valorados pelo número de likes que recebemos nas redes antissociais.

Que grande armadilha quando queremos ser outro, seja lá quem for. Para resolver essa equação, é preciso entender que cada história é única e exclusiva e que, **se não escrevermos a nossa própria história no livro de todas as histórias, ninguém fará isso por nós.** A Lei de Newton diz que dois corpos não ocupam o mesmo lugar no espaço ao mesmo tempo. <u>Não queira o espaço do outro; queira e ocupe o seu próprio espaço!</u>

Pouco se fala do que podemos fortalecer em nós, do que naturalmente temos de bom; isso tem sido ignorado em tais abordagens. Penso que é preciso colocar a atenção naquilo em que somos naturalmente bons.

Todos esses produtos – artigos, livros, palestras – que falam sobre hábitos e maneiras de se alcançar isso e aquilo têm muita coisa útil, sem dúvida, e podem ajudar muita gente a pelo menos fazer o básico, o mínimo, a organizar a própria vida, as rotinas, os costumes produtivos etc. Mas há um aspecto que não se pode ignorar. Quem escreveu ou produziu esses conteúdos fez isso a partir de um ponto de vista específico, ou de um grupo específico, ou ainda, da própria experiência pessoal, que é única e individual.

Acontece que você e eu somos pessoas com individualidade própria, somos todos diferentes. Você, que é uma pessoa única e exclusiva, pode aprender com aquilo? Pode. Mas precisará aprender a construir a sua identidade e perspectiva pessoal, porque do contrário irá querer ter a identidade do Steve Jobs ou de outro inovador, de outro milionário, de outra pessoa de sucesso. E não dá para ocupar o lugar do Steve Jobs, nem para ter o mesmo fluxo do Steve Jobs, pois isso não acontecerá por uma única razão: você não é o Steve Jobs e não ocupará o lugar dele, porque somos únicos. Eu sou o Juliano, tenho os talentos e atributos do Juliano. **Sou uma mistura, uma receita existencial única e exclusiva.** Existe um caminho, e devo trilhá-lo para construir e manifestar a minha identidade, para ocupar o meu lugar no mundo e entrar no flow.

Quando olhamos e nos concentramos naquilo que temos naturalmente de bom em nós, a magia acontece. **Redescobrimos o prazer de ser quem somos, exatamente como somos, porque a energia do cosmos flui em nós com o prazer de realizar aquilo que somos de melhor.** Não ignoramos o que nos falta, apenas gerenciamos nossas fraquezas e aprendemos que pessoas precisam umas das outras. Onde antes havia confronto e competitividade, passa a caber complementaridade, parceria e cocriação!

Nós, no Círculo Escola, acreditamos e vivemos a Psicologia de Pontos Fortes como um eixo da nossa filosofia de vida, capaz de impulsionar o nosso processo de autoconhecimento de forma dinâmica e produtiva. Muitas pessoas ficam perdidas, anestesiadas e correndo de um lado para o outro atrás das tendências, e deixam de olhar para quem são. Se não olharmos para quem somos, não ocuparemos o nosso lugar e não desencadearemos o processo exoconsciente que manifesta o extraordinário em nós!

O Instituto Gallup percebeu que os melhores profissionais em uma função, dentro de uma empresa, chegam a um desempenho admirável, de excelência, por caminhos diferentes. Não é surpresa, pois cada pessoa tem uma história própria, única, e cada história conta muito, justamente por ser uma história diferente.

Não advogo uma rebeldia sem causa, sem orientação, mas a atenção a um chamado específico, a uma vocação individual que contribua com o todo, com o coletivo, com a empresa e com a sociedade. É preciso olhar para quem você é! _A sua identidade importa, a sua história importa, a sua configuração existencial importa, porque ela é única e exclusiva. Absorva isso como conhecimento, não apenas como informação, e provoque movimento._

Quantos entre nós têm vergonha das suas habilidades naturais? Quantos tinham alguma vocação inata, uma aptidão reconhecida entre familiares e amigos, eram inclinados a alguma atividade, mas foram sendo reprimidos pouco a pouco? A resposta é "muitos de nós", infelizmente.

O indivíduo vai entrando na concha, segue empurrando para baixo do tapete aquilo que tem de bom, porque não tem apoio nem reconhecimento, ou porque precisa trabalhar para sobreviver, para ajudar a família... Você percebe por que e como a sociedade perde os seus melhores talentos e deixa de se expandir intelectual e culturalmente? Quando busca somente melhorar os pontos fracos sem dar atenção para aquilo que você tem naturalmente bom dentro de você, esse esforço o deixa escondido na média. E quem fica escondido na média termina na "mérdia", porque não há nada de extraordinário nisso.

A chave para a realização, para uma existência relevante e plena, é entender como retomar aquilo que temos de melhor, a nossa paixão, as coisas que fazemos bem e com prazer, e aplicar isso no contexto do nosso dia a dia. Vivemos em uma sociedade na qual existe uma infelicidade generalizada no ambiente de trabalho. As pessoas estão desengajadas, infelizes, vão para o trabalho como se fossem gado indo para o matadouro. Isso ocorre porque elas não têm a oportunidade de aplicar aquilo que têm de melhor em sua própria vida. Não destravamos o nosso potencial.

Conceito desenvolvido por Clifton ao longo de mais de 40 anos de pesquisa, os **Talentos Naturais são padrões naturais e recorrentes de comportamento, pensamento e sentimento que podem ser aplicados de maneira produtiva em sua vida.**

Escrevo com a mão direita. Isso é um padrão natural e recorrente. Minha letra era uma com 5 anos, outra com 10 anos, 20 anos, 40 anos. A qualidade da manifestação mudou, mas o padrão natural de fundo, não: continuo a escrever com a mão direita.

Por ser um padrão natural, significa que, naturalmente, o seu corpo adotará aquele padrão, a sua mente adotará aquele padrão, o seu ser adotará aquele padrão. É um padrão natural e recorrente que influenciará a forma como você pensa, sente e se comporta. Sua experiência de realidade será filtrada por ele, como a experiência de realidade de alguém usando óculos de lentes vermelhas é filtrada por essa cor. A forma como essa pessoa vê o mundo passa por aquela lente vermelha, assim como a forma que vemos o mundo passa pelo nosso arranjo de Talentos Naturais.

EXECUÇÃO ⓘ		INFLUÊNCIA ⓘ		RELACIONAMENTO ⓘ		PENSAMENTO ESTRATÉGICO ⓘ	
1 Realização	28 Disciplina	10 Ativação	16 Excelência	27 Adaptabilidade	29 Inclusão	23 Analítico	3 Input
22 Organização	20 Foco	18 Comando	9 Autoafirmação	7 Conexão	8 Individualização	24 Contexto	5 Intelecção
17 Crença	13 Responsabilidade	19 Comunicação	26 Significância	31 Desenvolvimento	14 Positivo	11 Futurista	2 Estudioso
33 Imparcialidade	30 Restauração	15 Competição	21 Carisma	32 Empatia	12 Relacionamento	6 Ideativo	4 Estratégico
25 Prudência				34 Harmonia			

Você Lidera com **Pensamento Estratégico** temas do CliftonStrengths

Isso aqui muda tudo! Explico: esse é o relatório do meu DNA de Talentos Naturais. <u>Dentro da metodologia Clifton Strengths, os padrões naturais e recorrentes de pensamento, comportamento e sentimento foram organizados em 34 categorias (ou temas) arranjadas em quatro grandes domínios, de acordo com a sua natureza.</u> A primeira coluna mostra o meu padrão ligado ao fazer (Execução), a segunda ao influenciar (Influência), a terceira ao me relacionar (Relacionamento) e a quarta mostra meu padrão ao pensar (Pensamento Estratégico).

O DNA de Talentos Naturais é um ranking que organiza por ordem de força os 34 temas, sendo que os top 10 representam meus talentos dominantes, aquilo que é mais forte em mim, naturalmente. Nesse lugar, posso ser extraordinário com "o alvará do universo"! É o que escolhi ser! A forma individualizada que escolhi dar à manifestação da energia cósmica em mim.

Meu talento número 1 é a REALIZAÇÃO. Fazer as coisas acontecerem é a minha natureza mais forte e também o sentido para onde toda a minha força flui. Domino em temas de pensamento estratégico, o que significa que ser nerd é da minha natureza! Meu talento número 2 é o ESTUDIOSO, do inglês LEARNER – "aprendedor". Aprendo naturalmente, e à medida que mais consciência atinjo desse potencial, mais ensino. A máxima potência de quem aprende é ensinar.

Estudando esses dois talentos, criei um slogan de poder para mim mesmo: EU APRENDO O QUE FOR NECESSÁRIO PARA REALIZAR. Estudioso + Realização! Anos de filosofia e autoconhecimento resumidos numa frase: eis a delícia de ser um marketeiro na Nova Terra. Saber o que você tem de melhor em você o libera para ser quem você é, na sua melhor versão! E isso é só um exemplo de como a abordagem positiva muda a porra toda!

Forças existenciais latentes em nós

Tenho percebido que os **talentos naturais são forças existenciais latentes em nós.** Quando esses talentos são ignorados e não há autoconsciência sobre eles, ou quando ficam desequilibrados, eles aparecerão com respostas traumáticas, como crenças limitantes, fuga da realidade, omissão, destemperos emocionais ou subserviência.

Psicologia de Pontos Fortes

Saiba tudo sobre essa nova abordagem de desenvolvimento humano aqui.

Interessante que o professor Hippolyte Léon Denizard Rivail, na obra *Livro dos Espíritos*, reuniu a compilação de todas as informações que a egrégora do Espírito da Verdade trouxe em diversas partes do mundo, em diferentes grupos mediúnicos. Juntando as informações recebidas de tantos lugares diferentes, o professor passou a encontrar nas coincidências a universalidade desse conhecimento.

A questão 907 é particularmente interessante:

"Será substancialmente mal o princípio originário das paixões, embora esteja na natureza?" **Não**, responde a egrégora... "A paixão está no excesso de que se acresceu à vontade, visto que <u>o princípio que lhe dá origem foi posto no homem para o seu bem, tanto que as paixões podem levá-lo à realização de grandes coisas.</u>" O abuso que dela se faz é o que causa o mal.[8]

8. Kardecpedia. Disponível em: <https://kardecpedia.com/>. Acesso em 4 out. 2022.

JULIANO POZATI

Para mim, a conexão é óbvia: o princípio que dá origem às paixões são padrões naturais e recorrentes de pensamento, comportamento e sentimento que existem em nós para nos levar à realização. No meu ponto de vista, esse princípio são os nossos Talentos Naturais.

Quando alguém está usando um talento natural e tem autoconsciência dele, é como se tivesse o alvará do Universo para ser quem é, para fazer aquilo que mais o energiza, e, nesse sentido, esse alvará do Universo o colocará no seu lugar de pertencimento. Ou seja, **ele tem um estado de espírito que ocupa o seu lugar na ordem da vida e das coisas, porque sabe quem é, sabe quais são as suas forças e passa a reconhecer no ambiente aquilo que ele veio realizar, sabendo qual é o seu lugar.** Assim, e só assim, o fluxo acontecerá.

Agora lhe pergunto: o que desperta paixão em você? Como poderá determinar o limite onde as paixões deixam de ser boas para se tornarem más? Para o professor Rivail, as paixões são como um cavalo de raça, que só tem utilidade quando é dominado, e se torna perigoso quando passa a dominar.

Uma paixão é uma força que se torna perigosa a partir do momento em que a pessoa deixa de governá-la, o que traz como resultado um prejuízo para ela mesma e para quem está ao seu redor.

As paixões são alavancas que decuplicam as forças dos homens e os auxiliam na execução dos desígnios da Providência. Mas, se, em vez de dirigi-las, eles deixarem que elas os dirijam, cairão nos excessos, e a própria força exercida pelas

suas mãos, e que poderia produzir o bem, contra eles se vol-
tará e os esmagará.[9]

Ora, decuplicam nossas forças? Impossível ignorar que os
alunos do grupo de estudos de Clifton liam 350 palavras por minuto e passaram a ler quase 3.000 depois de investirem em seus
Talentos Naturais! "Decuplicar" é multiplicar por dez. Foi muito
na trave, não acha?

O que estou afirmando aqui é que provavelmente há uma fu-
são das escolas da egrégora do Espírito da Verdade com a escola
de Donald Clifton a fim de demonstrar o prenúncio da Psicologia
de Pontos Fortes numa publicação de 1857, recebida "mediuni-
camente" por grupos distintos de todo o mundo. **<u>Um feito Exoconsciente!</u> Essa abordagem transforma o nosso processo de
autoconhecimento no processo extraordinário de empoderamento a partir daquilo que temos de melhor. O que parecia
ser ruim em nós é a força do bem que nos habita, ainda mal
direcionada, pela falta de consciência.**

A descoberta ou o entendimento de quais são os seus talentos
é algo necessário para que o indivíduo passe a desenvolvê-los, a
fim de dar uma contribuição real para a sociedade. Para que se
chegue a esse entendimento, para que ele aconteça, é necessário
passar por um processo de auto-observação. O Dr. Donald Clifton dá dicas para que a pessoa identifique em si mesma quais são
os seus talentos a partir da auto-observação.

Assumindo que você, leitor, é um livre-pensador espiritualizado e está envolvido na busca e no aprofundamento desses
temas, precisa considerar que <u>identidade, pertencimento e fluxo</u>

---

9. Kardecpedia. Disponível em: <https://kardecpedia.com/>. Acesso em 4 out.
2022.

são coisas indissociáveis. Se não tiver noção de quem você é, não terá noção das forças que o compõem e daquilo que tem de mais positivo e mais promissor. Perceba como uma coisa está intimamente relacionada com a outra.

O Dr. Donald Clifton alinhou a tecnologia ao autoconhecimento criando um teste chamado Clifton Strengths 34, do Instituto Gallup. O Clifton Strengths 34 foi testado durante o seu desenvolvimento com mais de dois milhões de pessoas, e, depois de aprovado, quase trinta milhões de pessoas já o realizaram! Como disse Chico Xavier em 1971, "seremos aposentados em futuro breve do trabalho mais rude para nos dedicarmos à educação da nossa mente". A tecnologia e o autoconhecimento parecem estar trabalhando juntos nesse sentido.

A maior contribuição que a Psicologia de Pontos Fortes nos proporciona é um vocabulário para falar daquilo que temos de bom. Antes de Donald Clifton, faltava no mercado, na sociedade, na cultura humana, um vocabulário eficiente para falar dos nossos pontos fortes, daquilo em que somos bons. Hoje já temos esse vocabulário. O teste oferece a estrutura para que a pessoa conheça os seus talentos naturais mais fortes, os menos expressivos, os talentos de apoio, e assim possa começar uma jornada exploratória de percepção e empoderamento diários. Quanto mais autoconsciência temos dos nossos talentos naturais, mais os valorizamos; quanto mais os valorizamos, mais os direcionamos. E retornamos ao tripé: identidade, pertencimento e flow.

Quanto aos modos de se fazer o teste, que irá apontar quais são os seus cinco maiores talentos, o primeiro é adquirindo o livro *Descubra os seus Pontos Fortes 2.0*. Além de ser um compêndio com descrições e casos de todos os talentos naturais, o que é muito útil para se compreender como cada pessoa que tem determinado talento funciona ou o executa, o livro traz um código (de uso individual) que permite acessar o site da Gallup e fazer o teste on-line, que é o Clifton Strengths 34.

Em ambos os casos, você pode contar com o programa de Mentorias em Psicologia de Pontes Fortes do Círculo para expandir ainda mais a sua compreensão de si mesmo.

Programa de Mentoria Baseado em Psicologia de Pontos Fortes

Invista nos seus Talentos Naturais e crie pontos fortes exclusivos para uma vida extraordinária!

CAPÍTULO 3

CONHECIMENTO, MOVIMENTO E TRANSFORMAÇÃO

CONHECIMENTO, MOVIMENTO E TRANSFORMAÇÃO

Sem identidade não há pertencimento, sem pertencimento não há flow, e, se não houver flow, não haverá cocriação exoconsciente. Então, quando digo que tudo começa no autoconhecimento, não significa que permanece apenas nele; para você sair do vale do luto da autoimagem e chegar à aceitação, é preciso ir além do que simplesmente lidar com as sombras, com os lados negativos, com aquilo que não fazemos bem nem fazemos direito.

Temos uma cultura de pecado e pecadores muito enraizada em nós. Temos uma cabeça de culpas, de erros, de falhas, de limitações, e passamos a vida nos dedicando a corrigir os erros, a evitar os nossos pecados. Mas em nenhum momento investimos um tempo para descobrir quais são os nossos potenciais, para verificar e conferir aquilo em que somos bons, o que amamos fazer, o que nos dá prazer, o que nos dá paixão, o que nos move e nos tira da cama todos os dias. Em nenhum momento pensamos nisso!

Precisamos chegar à aceitação, mas ficamos na negação, na raiva, na depressão, na barganha. Temos que romper esse ciclo.

Por essa razão, criamos, no Círculo Escola, a metodologia **Conhecimento, Movimento e Transformação (CMT)**, num processo distribuído no tempo para que todos possam conquistar a sua equilibração. Essas duas noções pedagógicas são muito importantes para que se tire o máximo proveito da nossa metodologia.

Não transmitimos conhecimento pura e simplesmente. Apenas provocamos, ou facilitamos. O filósofo Sócrates tinha uma analogia extraordinária para expressar isso. Ele dizia: "Eu não sou professor, eu sou uma parteira". A mãe dele era uma parteira, que não fazia nada além de ajudar a mulher grávida a dar à luz. Por isso, o processo de ensino de Sócrates ficou conhecido por maiêutica, isto é, dar à luz o seu próprio conhecimento. Ele entendia que o conhecimento era inerente ao ser humano, e cabia a ele, enquanto mestre, auxiliar seus discípulos a colocarem para fora, a darem à luz o conhecimento que tinham, mas não estavam conscientes de tê-lo internalizado. Por isso, Sócrates caminhava com seus discípulos e fazia as perguntas certas, deixando a descoberta por conta do discípulo. À medida que os discípulos respondiam, percebiam o conhecimento interno e, então, se dava o autoconhecimento, e assim sucessivamente.

Não é pagando por um curso que o conhecimento acontece. Não podemos pagar pelo conhecimento e recebê-lo cumprindo algum programa ou sentados num banco, ouvindo alguém discursar. O conhecimento está além.

Conhecimento

Em um minuto. Repito: em apenas um minuto, 694 horas de novos vídeos são compartilhadas por usuários no YouTube em todo o mundo; 167 milhões de vídeos são assistidos no TikTok; 452 milhões de horas são exibidas via Netflix. Em apenas sessenta segundos, o Google faz mais de 5,7 milhões de buscas; 240 mil fotos são compartilhadas no Facebook. Tudo em apenas um minutinho. E provavelmente, entre a publicação deste livro e a sua leitura, esses números já terão aumentado.

É no mínimo impressionante o volume de dados gerado pelos usuários da internet no planeta Terra em um único minuto. Tudo isso que acabei de descrever aconteceu somente enquanto você lia o parágrafo anterior.

Com tantos dados e informações à disposição, a internet é cada vez mais a fonte de pesquisa e conteúdo para muita gente. O Brasil está acima da média mundial quando o assunto é busca por informações na internet. Para 47% da população brasileira, a web é a primeira fonte de consulta, enquanto para o restante do mundo, esse percentual registra uma média de 45%.[10]

O problema que quero analisar com você é o seguinte: com o hábito de consultar a internet para tudo, sobre tudo e todos, de alguma forma corremos o risco de ignorar conceitos filosóficos fundamentais e simplesmente absorver qualquer asneira on-line como se fosse uma verdade absoluta e inquestionável. A variedade de dados, informações e conteúdos é tanta que fica difícil distinguir o que é relevante e o que não é.

Veja, isso não é culpa da internet. E nem estou aqui para demonizar a bichinha. Nós provavelmente nos conhecemos por "culpa" da internet, afinal, é onde publico todos os meus trabalhos e pensamentos. Mas o fato é que muitas vezes as pessoas se comportam como gado de manobra, seguindo a manada como que por instinto. "Se todos estão indo por essa direção, eu também vou, afinal de contas, devem estar certos." É um pensamento

---

10. Pesquisa Target Group Index, desenvolvida pela Kantar Media e difundida pela Ibope Media no Brasil e na América Latina.

JULIANO POZATI

instintivo de sobrevivência, afinal, é mais fácil sobreviver em grupo do que sozinho. Mas esse é um pensamento limitado, além de falho, muitas vezes. "E, oô, vida de gado, povo marcado, ê, povo feliz", já dizia a canção.

Para todos nós, tornou-se essencial, portanto, o desenvolvimento de um senso crítico apurado para distinção do que é o quê diante do volume de informações ao qual somos submetidos todos os dias. Considere os símbolos que grafei na figura a seguir e partiremos para as considerações sobre cada um deles.

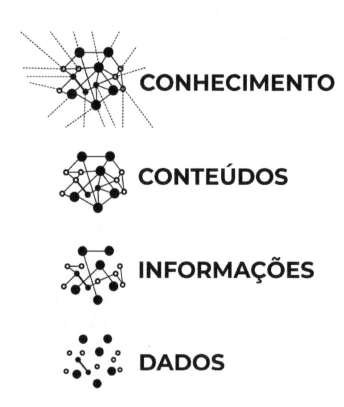

Dados

Dados são realidades quantificadas. Ou seja, são realidades que, por sua repetida manifestação, podem ser agrupadas e, por isso, expressam volume. Por exemplo, moro em um sobrado. Isso é uma realidade isolada. Mas talvez você também more em um sobrado. A partir do momento em que essas duas realidades vêm à luz, ficamos <u>cientes desse fato e organizamos essa ciência num conjunto,</u> **temos um dado.** O IBGE consolida dados sobre a geografia e a estatística brasileira. O que ele retrata em seus relatórios representa realidades quantificadas, que podem ser contadas e agrupadas em conjuntos por alguma similaridade.

Informações

Quando acompanhamos <u>a evolução de um dado e/ou o correlacionamos com outros dados, estabelecendo padrões, conexões ou evoluções,</u> temos **uma informação.** Então, informações são dados correlacionados para propagação. A informação é imparcial e mostra as possíveis consequências dos dados apresentados. Uma notícia oferece (ou deveria oferecer) uma informação a partir de dados reais consolidados. Por exemplo, no dia 19 de maio de 2017, o jornal *O Estado de S. Paulo* noticiou que a JBS distribuiu propina a 1.829 candidatos de 28 partidos.

Vários dados foram correlacionados para gerar essa informação.[11]

---

11. Estadão on-line. Disponível em: <https://politica.estadao.com.br/blogs/fausto-macedo/jbs-distribuiu-propina-a-1-829-candidatos-de-28-partidos/>. Acesso em: 8 nov. 2022.

- **Primeiro dado:** a JBS pagou propina a políticos brasileiros.
- **Segundo dado:** não foram poucos candidatos, foram 1.829.
- **Terceiro dado:** não foi apenas de um partido, mas foram candidatos de 28 partidos (num universo de 35 partidos registrados no TSE, ou seja, 80% dos partidos).

Você viu que interessante? Dados correlacionados geram informações imparciais. Por que imparciais? Porque não há análise, classificação, juízo de valor ou opinião sobre o que foi apresentado. Há apenas a informação bruta por assim dizer. Só que essa informação é importantíssima porque, a partir do contato com ela, um processo interior ainda maior começa a acontecer. Começamos a analisar, classificar, julgar e construir uma opinião sobre as circunstâncias de tal informação. E isso nos leva à construção de conteúdos pessoais que fazem sentido para nós. Sabe por que esses conteúdos são tão importantes? Porque são eles que vão nos ajudar a pautar as nossas decisões e atitudes no futuro. Eles consolidam, de certa forma, a percepção sobre a realidade que nos cerca.

Conteúdos

Dentro dessa linha de pensamento que estamos construindo juntos, os **conteúdos** são informações organizadas, processadas e enriquecidas conceitualmente pela inteligência humana. Os conteúdos recebem senso de utilidade a partir da visão pessoal de um ou mais seres humanos. As universidades geram conteúdos, as bibliotecas estão cheias de conteúdos, os livros propagam conteúdos. A internet disponibiliza muito conteúdo: históricos, científicos, emocionais, psicológicos etc.

Vamos voltar ao exemplo da notícia dada pelo *Estadão* sobre as propinas pagas aos candidatos brasileiros. No conceito anterior, percorremos os dados que foram correlacionados para gerar a informação contida nessa notícia. Essa informação pode servir de base para a construção de inúmeros conteúdos a partir de sua análise e processamento pela inteligência humana. É possível, por exemplo, relacioná-la com outros dados para gerar mais informações que, uma vez processadas pela inteligência humana, gerarão conteúdos importantes. Analisando a história da corrupção no Brasil, o índice de crescimento da empresa JBS, bem como os gastos de cada um dos candidatos, será possível gerar todo um conteúdo sobre o *modus operandi* do esquema de corrupção e suas consequências sociais, para citar um exemplo absolutamente em voga na segunda década dos anos 2000.

Logo, toda produção do saber humano, a partir dos dados colhidos e informações processadas, gera conteúdos. Métodos, processos, procedimentos, padrões, regras, leis etc. são conteúdos.

Conhecimento

"A tarefa não é tanto ver aquilo que ninguém viu, mas pensar o que ninguém ainda pensou sobre aquilo que todo mundo vê."

Arthur Schopenhauer

Acredito que **o conhecimento é uma experiência íntima, pessoal e transcendental com a verdade, vivida a partir de todos os conteúdos com os quais entramos em contato.** O conhecimento acontece dentro de cada um de nós, a partir do seu ponto de vista experiencial e da sua configuração de consciência.

O conhecimento é acessado a partir de uma predisposição à sua busca interior. Por exemplo, você está lendo este livro porque se interessou pela proposta de seu título. Tudo o que estou apresentando nestas linhas são dados, informações e conteúdos que processei. Não consigo transmitir ou lhe ensinar o conhecimento. Ninguém pode. Tudo o que posso fazer, parafraseando Sócrates, é provocar o seu pensamento com os dados, informações e conteúdos que estou apresentando. Essa provocação vai desencadear um processo de pensamentos, e é aí, "dentro de você" ou "em você", que o conhecimento vai acontecer.

Vou lhe dar um exemplo para tentar tornar esse conceito o mais claro possível, porque é fundamental, a partir deste ponto, que você saiba reconhecer perfeitamente cada uma dessas definições: **dados, informações, conteúdos** e **conhecimento.** A partir de agora, elas serão fundamentais para que a gente construa, juntos, as ideias que se seguirão neste livro.

Um dado: sou pai do Lorenzo. Existem milhões de homens em todo o mundo que são pais. Casados, solteiros, viúvos, seja como for. Eles são pais. A paternidade é uma realidade que pode ser quantificada, ou seja, a gente pode contar. Quantificamos uma realidade, logo, temos um dado.

Agora vamos correlacionar o nosso dado com outros dados para construir uma informação propagável. A paternidade acontece em todos os países, em todos os lugares do mundo, independentemente de raça ou religião. É uma condição inerente à natureza do ser humano. Cruzamos o nosso dado original com outros dados, logo, temos uma informação.

A partir dessas e de outras informações, é possível gerar uma série de conteúdos sobre a paternidade. Imagine, por exemplo, quantos livros existem sobre o tema ao redor do mundo. Aspectos sociais, econômicos, emocionais e psicológicos da paternidade. Dicas de relacionamento para pais e filhos, dicas sobre como ser um pai diante da tecnologia etc. São tantos conteúdos, tantos livros, que seria possível encher uma biblioteca inteira com eles. No entanto, nem todos os livros do mundo juntos sobre o tema paternidade seriam capazes de transmitir o conhecimento que um homem acessa no exato momento em que você se torna ou se reconhece como pai.

A partir da experiência do conhecimento, todo conteúdo é ressignificado de dentro para fora. Dessa forma, se o conhecimento é um estado de conexão transcendental com a verdade, uma experiência íntima e individual, vivida a partir dos conteúdos com que entramos em contato, então ele é uma porta aberta pela consciência humana para o mundo das ideias, o mundo de todas as causas, a não localidade, por assim dizer.

Aliás, reflexão parece ser uma palavra-chave. Retomando o pensamento de Schopenhauer, "a tarefa não é tanto ver aquilo que ninguém viu, mas pensar o que ninguém ainda pensou sobre aquilo que todo mundo vê". Diante dos novos conceitos que estruturamos juntos, eu complementaria dizendo que a tarefa não é buscar desenfreadamente novos dados, assimilar o máximo possível de novas informações ou acumular o maior número possível de conteúdos. Tudo isso tem pouco valor se você não for capaz de acessar o conhecimento que está além, deixando que ele se traduza em movimento e transformação dentro de você.

"Tenho a impressão de ter sido uma criança brincando à beira-mar, divertindo-me em descobrir uma pedrinha mais lisa ou uma concha mais bonita que as outras, enquanto o imenso oceano da verdade continua misterioso diante de meus olhos."

Isaac Newton

Exoconsciência e conhecimento

Ok, a gente já viu que tudo pode acontecer em 1 segundo na internet. Tem de tudo para todo mundo! Agora imagine, por um momento, que, em meio às suas buscas, você encontrasse anúncios publicitários curiosos como estes:

CURSO ONLINE

Aula de natação para patos, 100% online e 100% gratuita.

EXCLUSIVO

MATRICULE-SE AGORA
Vagas Limitadas

CURSO ONLINE

Extreme makeover para lagartas:

Vire uma borboleta em 7 dias ou seu dinheiro de volta.

PROMOÇÃO

MATRICULE-SE AGORA
Vagas Limitadas

Como publicitário e filósofo, confesso que me diverti muito imaginando esses anúncios. Onde foi que os patos aprenderam a nadar? Quem ensina as lagartas a virarem borboletas? Quando os cachorros leram alguma coisa? Onde fica a escola de engenharia dos joões-de-barro, cujas casas reproduzem o mesmo padrão em todo lugar? A natureza é explícita e não deixa dúvidas: **existe uma**

dimensão inexplorada do conhecimento. Uma dimensão com a qual interagimos inconscientemente todos os dias e que está para além das vias de cognição tradicionais. A vida em todo o planeta Terra demonstra todos os dias que esse fluxo passa através de nós em nossa manifestação espaço-temporal. Mas como lançar clareza sobre esse processo?

A exoconsciência é um caminho para acessar essa dimensão inexplorada do conhecimento e manifestá-lo em realizações relevantes à comunidade humana na Terra. **Esse Conhecimento gera Movimento!**

Movimento

O conhecimento gera um **movimento interno de atitudes novas e transformadoras que se traduzem numa postura coerente e consistente ao longo do tempo.** Acredito que aqueles que o acessam se colocam em marcha de evolução interna, porque se reconhecem como parte do cosmos que contemplam e se veem inspirados a viver segundo o AMOR, sua natureza mais essencial. Essa natureza nos coloca em movimento, tanto interior, visando nossa evolução mais íntima, quanto exterior, reconhecendo no outro a comum unidade que nos leva a experienciar a vida em comunidade.

Na interação desse movimento com a vida e com o outro, a consciência das sincronicidades nos ensina a ler as evidências do conhecimento que está se manifestando na dimensão física diante de nós, e sua integração no contexto funcional da vida.

A interação consciente com a sincronicidade é uma postura e uma ferramenta exoconsciente! Para mim, a sincronicidade passa por uma experiência de construção de sentido no tempo, em que eventos aparentemente aleatórios encontram um eixo comum a partir da consciência. É quando, num espaço de tempo, ocorre o encadeamento de eventos aparentemente aleatórios, às vezes simultâneos, que nos permite **construir um senso de sentido e significado,** nos levando a uma nova configuração de consciência e a uma experiência mais ampla da vida em todas as suas dimensões.

Transformação

Toda nova configuração de consciência gera um sentido mais amplo, e esse sentido, muitas vezes, é contrário ao sistema estabelecido das coisas. É aí que se percebe ter chegado a hora de criar um novo paradigma, que converse com o sentido novo que brotou e nasceu dentro de você. **Conhecimento, movimento, transformação!**

Se o conhecimento gera um movimento interno de atitudes novas e transformadoras, acreditamos que não podemos nos recolher apenas em estudos avançados e fugir da manifestação do amor-movimento, que se traduz na prática do bem transformador. Por isso há um movimento de pessoas chamadas a transformar positivamente o meio em que se contêm, a partir de sua própria transformação pessoal. **O amor manifesto é a justa medida da porção do conhecimento que acessamos. Maior é o conhecimento daquele que manifesta amor maior.**

É bastante provável que você seja a transformação numa parcela pequena e reduzida da humanidade, com a qual você convive em seu contexto, porque é assim que as transformações se dão. A doença contamina célula a célula, assim como a cura vai restaurando célula a célula. A transformação também vai de célula a célula, ponto a ponto, indivíduo a indivíduo, a partir do lugar onde cada um está.

O conhecimento faz pensar, o movimento faz sentir, e a transformação faz agir. É trans-forma-ação; é ação de transformar. A trans-forma-ação dá uma estrutura interessante, porque é a **ação** de **dar forma** àquilo que percebo **transdimensionalmente.** Começa para além de mim (inspiração) e acontece através de mim (transpiração) para gerar no mundo a transformação... eu imprimo com as minhas ações uma nova forma, e essa nova forma transcende a realidade. Em tudo há uma conexão.

Calma e equilíbrio para a vida

O ponto importante aqui é o ponto de equilibração, e isso é muito sério. Dentro da teoria do construtivismo de Jean Piaget, toda vez que um novo conhecimento entra em nosso mundo interior ele gera movimento. Mas esse movimento nem sempre é suave, às vezes é brusco. Segundo Piaget, há um desequilíbrio nesse momento, porque aquilo que temos começa a ser afetado por aquilo que está entrando. Nisso entra todo o ciclo do luto, que abordei antes.

Há uma grande possibilidade de surgirem crises ao longo dos próximos meses, por causa da consciência que você está adquirindo nesse momento. Essas crises podem ser no trabalho, no casamento, com seus filhos ou familiares, com suas amizades, com a sua comunidade, uma crise atrás da outra. Mas saiba que isso é normal, faz parte dessa jornada de luto da autoimagem, da assimilação da nova identidade e consciência.

Depois de tantas crises que experimentamos no Círculo Escola, chegamos à conclusão de que só há um modo de não as enfrentar, que é se idiotizando. **O idiota é aquele que tem posse de uma informação relevante mas não faz nada com ela. Quando se cria idiotização, sistematiza-se a incapacidade de ação, a incapa-**

cidade de reação, a incapacidade de realização. A idiotização é um processo no qual se mantém toda uma população anestesiada. Há uma música conhecidíssima do Pink Floyd, "Comfortably Numb", em cuja letra o sujeito diz que se tornou "confortavelmente anestesiado/entorpecido". Isso é a idiotização da massa.

Idiotização é o contrário de livre pensamento espiritualizado. A idiotização gera anestesia, entorpecimento, e quem vive à base de anestesia não sofre crises. A pessoa vai levando a vida, e a vida vai levando a pessoa sem que ela se dê conta. A pessoa vai passando pelos dias, os dias vão passando por ela, e tudo está bem. Quando percebe, já morreu sem fazer nada de útil, de relevante, de significante; não atuou, não aconteceu. Mas quando ela entra em contato com o conhecimento, as coisas são diferentes, pois haverá embates, porque constantemente a pessoa será levada a novos degraus de consciência.

Como em uma escada, a pedagogia da vida prevê saltos e patamares. Existem períodos de grandes saltos de consciência e períodos em que acomodamos e equilibramos os novos conhecimentos na continuidade de um patamar. A vida não é só salto e a vida não é só patamar. Para o pensamento de Jean Piaget, esse processo se chama equilibração: é o movimento de assimilação de novos conteúdos, no qual revemos o que existe dentro de nós diante do novo que nos encontra, e buscamos novas formas de integrar isso ao contexto funcional de nossa vida.

Por experiência própria, posso dizer que não é legal sair por aí de forma frenética assimilando todo e qualquer tipo de conteúdo por aulas, palestras, vídeos etc. É preciso ter consciência e assimilar o ritmo certo de crescimento, dar a você, nesse novo período de jornada, a possibilidade de assimilar e se reequilibrar.

E não viva a sua crise sozinho. Busque a ajuda de um tera-peuta, uma mentoria, um *coach*, se sentir que o desequilíbrio está muito grande. A proposta da exoconsciência é ser uma ferramen-ta integrativa, não desintegrativa. É preciso ser integrado ao con-texto funcional da sua vida, e essa integração pode ser auxiliada por profissionais, se você entender que necessita disso. É assim que temos conseguido avançar, progredir, evoluir e crescer como desejamos, como todos queremos!

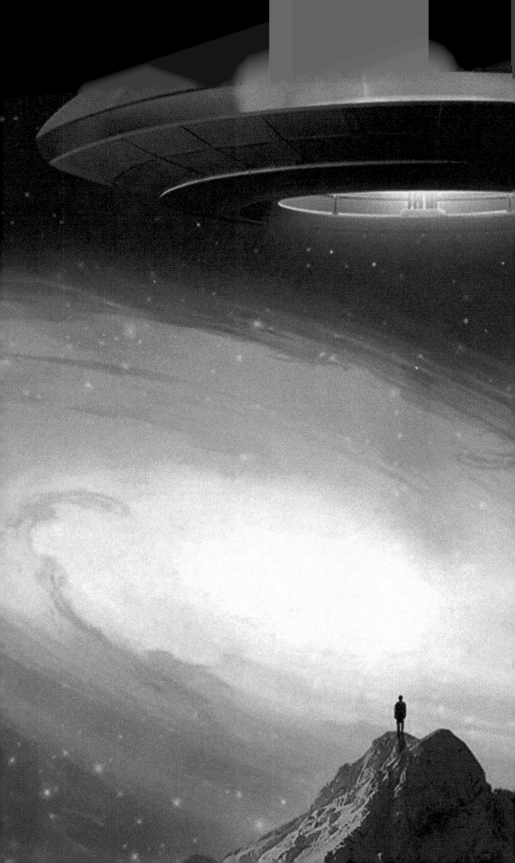

CAPÍTULO 4

MEDIUNIDADE COMO PRÁTICA EXOCONSCIENTE: DA SINTONIA À COCRIAÇÃO

MEDIUNIDADE COMO PRÁTICA EXOCONSCIENTE: DA SINTONIA À COCRIAÇÃO

Somos regidos em nossa vida pelo Princípio do Ritmo. A compreensão dos ciclos do universo nos quais nos contemos faz com que, ao invés de lutarmos contra a correnteza da vida, estejamos alinhados ao seu fluxo e sejamos impulsionados pelo seu campo.

Mas como compreender quais os tempos e momentos em que nos encontramos precisamente? Como interpretar os sinais da vida? Como estar alinhado às egrégoras que patrocinam o projeto da nossa história e saber se é hora de casar ou comprar a bicicleta?

Exoconsciência é um novo estilo de vida! Durante o período de transição, o velho e o novo paradigma dividem o cenário planetário e coabitam por um tempo. Cabe a cada consciência materializar o modelo de vida que deseja para o mundo em suas próprias escolhas.

Quando me refiro à exoconsciência como uma ferramenta prática para a vida, a maioria das pessoas tende a imaginar o meu dia muito mais próximo ao do Dr. Estranho do que realmente é:

portais se abrindo, seres espaciais participando do café da manhã, fadinhas esfregando minhas costas no banho, duendes escrevendo meus textos, preparando minhas aulas e dicas de trânsito melhores que as do Waze, colhidas diretamente de um espírito desencarnado entendido do assunto.

Temos certo gosto pelo fantástico que em tese facilita a nossa vida e nos transporta para outro lugar existencial, diferente da pseudomonotonia dos nossos dias, que continuam insistindo para que a gente resolva nossos próprios problemas como seres humaninhos adultos ao invés de simplesmente barrigar a treta para a próxima reencarnação.

Pois é, meu bem! Exoconsciência não é visto permanente para Nárnia! É, no máximo, passaporte diplomático. Nosso trabalho está onde o nosso perrengue está. Não se ejete para outra realidade. Seu trabalho é aqui!

E porque o seu trabalho é aqui e agora, a exoconsciência é uma ferramenta tão útil para o autoconhecimento e realização pessoal, com impacto realmente positivo no coletivo. **A exoconsciência pressupõe a prática da mediunidade com autonomia orientada para a cocriação do novo, à serviço da evolução coletiva!** Ao nos colocar em contato com a nossa realidade originária, somos em perspectiva levados a reordenar a nossa pauta de prioridades. **Vemos a vida com olhos espirituais, não para fugir da vida para o mundo espiritual, mas para trazer a espiritualidade como eixo da nossa manifestação histórica.**

Mas como sei que estou fazendo bom uso dessa ferramenta? Como sei que minha experiência de sensopercepção é real? Como posso aplicar tudo o que já aprendi na vida, sem correr o risco de me alienar?

Sobre a nossa real natureza e a metáfora do mergulhador

Imagine que você é uma pessoa que pratica mergulho. O seu mundo é o mundo terrestre, o chão onde você pisa, o ar que você respira, o céu azul, as árvores, os pássaros, as pessoas. Natural para você é andar de bicicleta, tomar sorvete e curtir as estrelas no céu da noite. Você é um ser terrestre. Mas, com o intuito de expandir os seus horizontes e experienciar novos desafios, adquirir novos conhecimentos e assim se tornar um ser terrestre melhor, **você decide viver uma experiência de mergulho, em outro mundo: o mundo submarino.** Trata-se de outra atmosfera, outra biodiversidade rica de manifestações e diversidade, aguardando por você.

Como você é um ser de natureza terrestre, precisa se revestir de uma roupagem adequada ao mundo oceânico que visitará para viver sua experiência. Você aluga e veste temporariamente uma roupa de mergulho, com pés de pato e membranas sintéticas entre os dedos da mão, que o ajudarão a se deslocar no mundo no qual irá mergulhar. Será preciso também oxigênio, óculos especiais, touca, protetores auriculares. Tudo isso visando adaptar temporariamente a sua natureza terrestre para uma experiência aquática.

Você ainda passa por treinamentos em terra sobre como se comportar no mundo submerso, como se locomover, respirar e, sobretudo, que experiências quer viver. Tudo é planejado minuciosamente. Sempre haverá uma surpresa ou outra, mas o seu pessoal de superfície é bem preparado e está atuando nesse projeto com você com o único objetivo de proporcionar exatamente o tipo de experiência que você quer viver.

Chegando o dia do mergulho, uma equipe o acompanha no barco e escolhe com precisão o local que melhor proporcionará uma experiência rica, segundo as necessidades e desejos que você detalhou para o seu instrutor ou agente de turismo. **Você é colocado devagar na água.** Há um cabo conectando você ao seu time de superfície, que ficará no barco para qualquer eventualidade.

Aos poucos você se afasta do barco da sua equipe e, apesar da conexão com eles, literalmente mergulha de cabeça naquela vivência do mundo marinho, explorando uma infinidade de riquezas e experiências que proporcionam o avanço e o desenvolvimento de um sem-número de habilidades e concepções sobre a vida, os seres vivos e a natureza. Você já conhecia o mundo marinho por fotografias, documentários e filmes. Mas nada se compara a estar pessoalmente lá.

Apesar da riqueza que experimenta no mundo oceânico, aquele não é o seu mundo. Você não é natural dali. Está ali provisoriamente, cheio de adaptações, equipamentos e estruturas que permitem viver como se dali fosse. Mas pode acontecer da sua respiração ficar esquisita, ou do seu senso de direção falhar, ou mesmo de você esquecer os planos traçados na superfície, a rota de um sítio marinho pelo qual você quer passar, ou até mesmo a localização de um navio naufragado no qual gostaria de pesquisar, quem sabe até encontrar algum tesouro.

O que você faz? Busca um meio de se comunicar com o seu time de superfície e talvez até encontre um meio de voltar provisoriamente para ter com eles, se reorientar, respirar um pouco o ar puro proveniente da superfície, que, em outras palavras, é o seu habitat natural, seu mundo familiar. Depois de algum tempo no seu mundo original, com o seu pessoal de bordo, você recobra as forças e retorna para a experiência no mundo aquático.

A comparação é simplória, porém, muito didática. Você com certeza já sabe aonde quero chegar com ela. Não somos naturais do mundo físico. **Somos seres espirituais. Nosso mundo original, nossa atmosfera natural é a espiritual. Aqui estamos, submersos na matéria tridimensional, para viver uma gama de experiências que nos enriquecerão e ajudarão a transformar o que de fato somos, segundo nosso caminho evolutivo rumo à perfeita harmonia universal.**

Compreendemos o ser humano como uma manifestação histórica espaço-temporal do seu espírito, e seu espírito como seu epicentro existencial. **Na integralidade do seu ser, o ser humano é interdimensional, transdimensional e multidimensional.**

- **Interdimensional:** porque sua dimensão ou realidade originária não é a mesma em que se vê contido, mas outra;
- **Transdimensional:** porque sendo a sua dimensão originária outra "atravessa" tais realidades para se manifestar historicamente na dimensão atual;
- **Multidimensional:** porque as expressões e os sistemas integrados do seu ser se manifestam simultaneamente em todas as dimensões, de forma que seus atos afetam a todas elas, segundo o Princípio de Correspondência.

Mas, por vezes, perdemos nosso senso de direção. Esquecemos os planos traçados antes de mergulharmos nesse mundo que, repito, não é o nosso habitat natural. Perdemos nosso senso de propósito, desviando-nos da causa primária que nos motivou a essa excursão na matéria.

Como reorientar nossos caminhos? Como alinhar novamente nossas metas interiores, nossos planos de experiência? Como se manter fiel e conhecedor dos propósitos que motivam nossa jornada? Voltando temporariamente à superfície para falar com o nosso time de suporte!

É assim que vemos a oração a partir de nossa natureza exoconsciente: como um estado de sintonia, conexão e comunicação inteligível e/ou inefável com O Todo (Deus) e seus colaboradores (que, de maneira geral, são nossos também).

É um emergir na atmosfera espiritual, nossa pátria verdadeira, que nos é um habitat natural, de onde viemos e para onde retornaremos.

Qual a vantagem da oração? Ela tem o poder de colocar toda a nossa experiência de vida em perspectiva, relativizando o que nos faz sofrer, para uma compreensão mais ampla de nossa verdadeira natureza e destino. A oração nos permite "sair" momentaneamente do "programa de mergulho" desta vida e observar o quadro geral, reassumindo quem de fato somos, de onde viemos, o que estamos fazendo, por que estamos fazendo e aonde queremos chegar com isso tudo.

Em perspectiva, os desafios encontrados no caminho ganham sentido; as dificuldades são revistas com a equipe da superfície; novos planos alternativos são traçados para se alcançar os grandes objetivos que escolhemos.

Por isso proponho a vivência diária da cultura de oração, segundo essa percepção apresentada. **Uma cultura de sintonia multidimensional para um estilo de vida exoconsciente.**

Eu particularmente acredito nos benefícios de se ter uma vida de oração, porque vivo isso todos os dias da minha jornada e sei como é transformador estar em sintonia, conexão e comunicação com o nosso "mundo real".

Para tanto, proponho dois momentos sequenciais neste capítulo. No primeiro, desconstruir com você a ideia tradicional de oração, e aprofundar de forma mais estruturada a visão sobre o que é oração pessoal e vida de oração. No segundo momento, sugerimos um método para colocar em prática, em nossa vida cotidiana, a oração pessoal. **A esse método chamamos de Diário Espiritual.** Cumprindo essa jornada, chegaremos a um estado de espírito muito importante e imprescindível para a plena realização de qualquer projeto de vida harmonioso e feliz.

Desconstruindo pré-conceitos

Quando a gente fala em vida de oração, chega a dar uma coceira por dentro, um certo ranço, principalmente se você é vacinado contra catolicismos, protestantismos, espiritismos e outros "ismos" afins. Mas a verdade é que precisamos aprender a extrair os conhecimentos elevados de todos os cantos, esferas e escalas evolutivas por onde passamos e que estão à nossa disposição.

A vida de oração e a oração pessoal são dois desses importantes conhecimentos que temos plena capacidade de transportar para a nossa vida de livres-pensadores espiritualizados, sem que necessariamente estejamos novamente sob uma bandeira religiosa, institucional, dogmática, fundamentalista ou coisa do tipo. É um conhecimento do qual conseguimos extrair uma essência transcendental extremamente importante. Sobretudo porque a oração não é esmola, não é ficar pedindo, implorando, suplicando. Oração está muito longe de ser isso!

Em geral temos uma ideia mal concebida e profundamente influenciada pelas tradições religiosas de que oração é coisa de nós (coitadinhos) que estamos aqui embaixo para alguém que está lá em cima (todo-poderoso chefão); de que precisamos, dependemos, tememos e imploramos para alguém que está lá em cima e que, quem sabe, se der na telha, vai nos socorrer ou não. A impressão que dá é que esse alguém vai jogar os dados para decidir quem ganha, ou não, na loteria da prece; quem será curado, e quem não será. Quem receberá a salvação e quem queimará no mármore do inferno.

Num país como o Brasil, de raízes católicas, é importante lembrar que toda tradição cristã tem o seu tronco na tradição judaica, que tem em uma de suas raízes um etnocentrismo muito grande. E o que é isso?

etnocentrismo
substantivo masculino
ANTROPOLOGIA

Visão de mundo característica de quem considera o seu grupo étnico, nação ou nacionalidade socialmente mais importante do que os demais.

Ou seja, é quando uma etnia, raça ou povo entende que é o centro das atenções, a última bolacha recheada no pacote de Deus, e que todo o resto que está ao seu redor é apenas resto.

Para o povo do Antigo Testamento da Bíblia, por exemplo, esse senso etnocentrista os levava a ter uma experiência com um Deus que os privilegiava, tratando-os como o povo escolhido e pronto! Todo o resto era sobra, e não tinha para ninguém. Na visão experiencial daquele povo, naquele momento histórico, Deus dizimava os exércitos inimigos, matava, destruía, era o terrível "Senhor dos Exércitos", um cara bem belicista, diga-se de passagem. Isso porque, naquele momento histórico da humanidade, aquela foi a forma de aquele povo entender que, de alguma forma, era amado por Deus.

Aquele povo não tinha a cultura, a compreensão e a configuração consciencial que temos hoje. Sua compreensão de mundo se resumia a matar para não morrer. Logo, um Deus que fica ao lado do seu povo e mata por ele é um cara legal. E se ele é um cara legal, vou fazer o que ele manda, para obter vantagens e créditos com ele.

Afinal, um povo nômade do deserto mata para não morrer; corre para o bicho não pegar. Então a lógica é: se eu agradar a esse Deus, ele vai lutar comigo, e, portanto, eu vou vencer a batalha! Agora, se eu lhe desagradar, ele vai escapulir na hora H, me deixar na mão, e aí a coisa vai ficar feia para mim, para a turma de casa e para o nosso povo todo.

Logo surgem leis e códigos morais da parte desse Deus; reguladores e sacerdotes que o representam e intermedeiam nossa relação com ele, em dia e hora marcados. Essa relação de troca de adoração e obediência de preceitos por vitórias bélicas vai levar esse povo a criar um paradigma (um jeitão) para garantir que o "Senhor dos Exércitos" fique sempre felizão e nunca os deixe na mão.

O problema é que essa noção de um Deus briguento, tipo *galo véio*, aguerrido, traz um paradigma que hoje ainda contamina a nossa percepção da função da oração. Isso contamina todo o nosso entendimento e nossa postura diante do que é uma vida de oração. É o paradigma culto-clero-dia-templo.

O que é o paradigma culto-clero-dia-templo?

É um modelo padrão que institui o procedimento necessário para se relacionar com o divino e obter dele algum favorecimento para sua vida pessoal. A maioria de nós (que somos de tradição cristã) vai identificar nisso as linhas do judaísmo, cristianismo e, sobretudo, do catolicismo, mas também dá para perceber esse mesmo padrão em linhas espiritualistas orientais.

Nesse paradigma, para que você possa viver a espiritualidade, é preciso um **culto,** ou seja, uma fórmula, com uma pessoa de um **clero** guiando – um líder –, num **dia** específico para se falar com Deus, em um local determinado, geralmente chamado **templo.**

No paradigma culto-clero-dia-templo:

- **Culto:** é preciso ter uma cerimônia, um ritual com um roteiro pré-estabelecido para entrar em contato com o divino, com começo, meio, fim, gestos e procedimentos. Um cerimonial tipo receita de bolo, a ser seguido à risca;
- **Clero:** é necessário que alguém seja instituído pelo poder divino para estabelecer com ele a ligação "da terra para o céu". São os famosos pontífices, mediadores, sacerdotes do divino para o povo;
- **Dia:** é necessário um dia específico em que o divino estará à disposição para ser cultuado. Para os judeus, o sábado; católicos, domingo (e por aí vai...);
- **Templo:** o lugar onde é necessário estar fisicamente para que Deus nos ouça. O lugar onde "Deus habita".

Esse paradigma ajudou a criar uma besta apocalíptica chamada institucionalismo religioso, que se contaminou ao longo dos séculos e se colocou acima das pessoas, a qualquer custo. Pior, a religião institucional se declarou inquestionável, intocável, como o depositário da verdade absoluta.

Pode parecer paradoxal e contraditório, mas, na prática, espiritualidade e religião são coisas bem diferentes.

- **Espiritualidade** é um caminho pessoal, trilhado a partir da singularidade de cada ser, para desenvolvimento daquele estado de sintonia, conexão e comunicação inteligível e/ou inefável com o Todo (Deus) e seus colaboradores.
- **Religião institucional** é uma ferramenta política de controle e manipulação das massas pela qual um credo instituído pretende regular, padronizar e controlar a forma como as pessoas vivem e praticam espiritualidade, definindo o que é verdade e o que não é.

Na condição de ferramenta política de controle sobre as massas, a religião defende a si mesma contra qualquer coisa que possa invalidar os caminhos por ela instituídos como absolutos, criando dogmas inquestionáveis. Essas "verdades institucionais" criam um circuito fechado para os seus membros na busca do conhecimento, no qual nada pode sair do roteiro definido pelo colegiado de sacerdotes, supostamente detentores da autoridade espiritual sobre o mundo visível.

De maneira geral, os dogmas oferecem uma segurança ilusória e limitada para os membros da religião, e depõem contra a racionalidade e o pensamento humano. Daí a origem de uma série de paranoias religiosas que ofuscam nossa verdadeira natureza espiritual.

JULIANO POZATI

Ora, então as religiões são todas ruins? Não!

As religiões são disciplinas de sabedoria e experiência na escola da vida, transformadas pelo senso de institucionalismo em ferramentas para o exercício de poder de um grupo minoritário sobre as massas. Há conhecimento, há verdade, ou perspectivas da verdade, em todos os credos e textos sagrados, pois todos eles surgiram a partir de uma experiência humana pessoal com o transcendental. Essa experiência, limitada pelo seu contexto histórico, social e cultural, expressa um caminho possível, viável. **Mas, leia-se bem, um caminho!**

O problema começa quando o meu caminho, o meu credo, passa a ser melhor e mais verdadeiro do que os outros. Quando a minha instituição passa a ser o "único" caminho; quando se declara inquestionável e ameaça com o fogo do inferno qualquer pessoa que ouse dizer o contrário.

A religião é como um caderno de caligrafia. A maioria de nós, quando está aprendendo a escrever, acaba usando um. Lembro-me que, nas férias do final do ano de 1990, havia concluído o primeiro ano do ensino fundamental, mas minha letra de mão era um verdadeiro garrancho, como se diz no interior. Minha mãe, que em tudo sempre foi muito exigente para fazer de nós, seus filhos, pessoas "educadas para o mundo", determinou que, durante os meses de dezembro e janeiro, enquanto estivesse sem aulas, eu copiasse uma página de revista por dia no caderno de caligrafia. E com a dona Cristina não tinha escapatória, não! Era chato, doía o braço, cansava até o espírito. Mas, sob protestos e choros de crocodilo, assim fui, copiando uma página por dia, enchendo alguns caderninhos de caligrafia naquelas férias.

Até o final de janeiro, o "garranchão" foi ficando redondinho, legível, bonito de dar gosto! Quando voltei às aulas, me lembro de um dia em que a professora pegou o meu caderno e mostrou para todo mundo da classe, dizendo: "Isto é que é letra caprichada!". Foi um orgulho pra mim e para minha mãe.

O caderno de caligrafia havia cumprido a sua função: suas pautas e linhas limitadas e condicionantes haviam ajudado a construir em mim a destreza necessária para bem me expressar por escrito. Assim é a religião, com seus dogmas e credos limitantes; ela nos ajuda, por algumas encarnações ou por algum tempo em nossa vida, a encontrar em nós a nossa espiritualidade, tão necessária para nos expressarmos como seres espirituais, livres e pensantes.

Religião é caderno **de caligrafia. Espiritualidade é saber escrever com letra bonita.**

Nem todo mundo precisa necessariamente começar a escrever com um caderno de caligrafia. Alguns usam por um tempo e depois não precisam mais dele. Outros nunca o utilizam. Mas a tendência natural é que, depois de aprender a escrever, todos superem o bom e velho cadeninho para dar asas aos seus textos em cadernos, diários, folhas em branco, layouts sofisticados, camisetas e livros.

Assim como os cadeninhos de caligrafia não podem encerrar para sempre as linhas que escrevemos à mão para nos expressar, **a religião não poderá conter para sempre a espiritualidade, já que ela é a expressão singular de seres espirituais.** Da mesma forma que toda a comunicação humana não poderia estar contida num cadeninho de caligrafia, Deus não está contido numa religião, e os caras que andavam com Jesus entenderam isso.

Os evangelistas da tradição cristã registraram nos evangelhos que, quando Jesus morreu na cruz, houve um tremor de terra e um vento rasgou o véu do santo dos santos. O que isso quer dizer? O santo dos santos era uma sala especial no templo onde, segundo o dogma judaico, Deus habitava. Era onde os sacerdotes se encontravam na "presença de Deus".

Traduzindo em miúdos: naquele contexto histórico e cultural, para aquele dogma institucional religioso, o TODO – o Princípio sem princípio, o Criador deste universo que, até onde a nossa pobre ciência sabe, tem mais de cem bilhões de galáxias –, por alguma razão, resolveu morar numa salinha apertada, de um templinho de pedra abafado, numa cidade quente pra caramba, de um país desértico, de um planetinha periférico de um sistema solar de beira de galáxia... Pode parecer engraçado, mas esse era o conjunto de crenças que a cultura e a configuração evolutiva das pessoas daquele momento histórico comportava.

Mas daí vem Jesus e o seu evangelho portador de uma verdade que liberta! Com a sua morte na cruz, rasgou-se o véu do templo e, a partir daquele momento, a salinha ficou pequena; *a presença de Deus habitou todos os lugares* – uma linguagem religiosa utilizada pelos evangelistas para comunicar, ao paradigma da época, a libertação daquele institucionalismo religioso, segundo a doutrina que Jesus promovia. **Era como se os evangelistas dissessem: "Chega de caderninhos de caligrafia!** Vamos escrever nossa poesia onde o coração nos levar! A verdade ensinada por Jesus fez de nós pessoas livres. Podemos encontrar Deus em nós, pois é Deus-Conosco e em nós habita; sua palavra é Emanuel! Somos o templo do Deus vivo; nossa vida é um culto, todos os dias, e ninguém pode nos separar do amor de Deus!".

Vida de sintonia

"O reflexo da lua em um vaso de água agitada parece distorcido; mas a lua nunca se distorce — é a água agitada que produz a ilusão. (...) A imagem perfeita de Deus dentro de você é distorcida por nossa inquietação mental e falta de convicção."[12]

Apesar de ainda sermos muito influenciados por esse paradigma culto-clero-dia-templo, cada uma dessas coisas teve sua importância histórica na evolução do pensamento humano, pois nos trouxeram até aqui. Mas, **a partir de agora, temos mais liberdade de compreensão,** mais conhecimento à nossa disposição para que não sejamos dependentes dessas coisas, e, sim, que a partir disso saibamos extrair a essência do conhecimento que esses antigos paradigmas contêm, e voar livremente, sem necessariamente estar em uma gaiola institucional e religiosa.

É possível criar, por exemplo, o seu próprio culto, a partir da singularidade do seu ser. Quem dá a forma a ele é você, sem a necessidade de um intermediador institucional. Cai a necessidade de um padre com quem você vai confessar os seus pecados, como se ele fosse a voz de Deus. Não é preciso um intermediador. Todos nós somos seres multidimensionais capazes de nos comunicar com o divino, com o Todo.

Da mesma forma que não é necessário escolher apenas um dia específico para isso. Claro que as questões do dia estão relacionadas aos ciclos de tempo da natureza, muito necessários para estabelecer um programa continuado e evolutivo. Definir esses ciclos é

---

12. YOGANANDA, Paramahansa. *Como despertar seu verdadeiro potencial.* São Paulo: Pensamento, 2019. E-book.

JULIANO POZATI

importante e está diretamente relacionado à pineal, nossa glândula cronobiológica que rege a sensopercepção multidimensional.

E sobre o templo, fica uma reflexão: **você realmente acha que é necessário ir a algum lugar específico para falar com Deus e seus colaboradores?** Claro que há lugares que podem potencializar esse contato, mas isso não é restritivo. Não é devido a algum tipo de consagração religiosa do local, mas sim pelo tipo de energia que é colhida em cada tipo de lugar, e que se põe à disposição para você desenvolver a vida de oração. **Por que preciso estar vinculado a um templo se eu moro dentro do Deus que mora dentro de mim?**

Oração gera conexão, e conexão é relacionamento! E isso diz respeito a desenvolver um relacionamento com o Todo – aquele a quem habitualmente chamamos de Deus, de pai, de criador – e com os camaradas que estão em sintonia com Ele. Criar essa relação é muito importante.

A todo tempo nos relacionamos uns com os outros, seja em nossa relação afetiva, de trabalho, familiar ou de amizades. Todo o tempo construímos relações. E como fazemos isso? Imagine você começar a construir uma relação com alguém para quem você apenas pede coisas. Toda vez que o encontra, você só o escuta pedir coisas. Pede! Pede! Pede! Você provavelmente terá vontade de fugir dessa pessoa inoportuna, chata, pedante, sanguessuga, vampirizadora (risos). Não é mesmo?

Em todos os momentos em que vocês se encontraram, não houve tentativa de se construir uma relação de fato com aquela pessoa; você só a viu pedindo, esmolando.

Vida de sintonia e oração, a partir de um estilo de vida exoconsciente, não é ficar o tempo todo pedindo, esmolando coisas para uma divindade que vai resolver todos os seus problemas.

Tem a ver com desenvolver relacionamentos que influenciam a forma como caminhamos. Eles fortalecem nossos passos, nos tornam pessoas mais firmes e mais confiantes. Quando se relaciona com alguém, para conhecer a pessoa, é preciso que você se conheça também. Para que haja laços de afinidade, amizade, comprometimento e cumplicidade, é necessário que você esteja consciente de quem você é. Com o tempo, também saberá quem é o outro, e aí cria-se a intimidade, a união em que dois passam a ser um só.

A amizade "unha e carne" é um bom exemplo disso! Essa é aquela relação que lhe dá estabilidade, segurança; que trabalha a confiança porque você sabe que, aconteça o que acontecer, essa pessoa sempre estará do seu lado, apoiando, dando-lhe aquele ombro amigo, e vice-versa. Esse é o tipo de relacionamento que devemos ter em mente ao construir uma relação de oração pessoal.

E que fique registrado que não é apenas com Deus que você pode se relacionar dessa forma. É com Ele e com a sua turma, justamente porque é relacionamento:

> *"A oração é um íntimo relacionamento de amizade, um entreter-se a sós com aquele de quem temos a certeza de que nos ama."*
>
> *Teresa d'Ávila*

É um processo de conhecer a si mesmo, a sua natureza multidimensional, e, por ela, estar em contato com o mundo real. O contato com o mundo das causas – compreensão de nossa natureza e propósito – nos proporciona uma experiência de amor que está além de nossa capacidade de definição. **Essa experiência nos liberta, nos faz livres e absolutamente insubordinados a paranoias metódicas da fórmula institucional.**

JULIANO POZATI

Quem é aluno do Círculo sabe que estimulamos momentos de sintonia com seres e humanidades multidimensionais para praticar a conexão espiritual, mental e o estado de presença da consciência. É parte da nossa cultura, ou seja, daquilo que cultivamos juntos com consistência ao longo do tempo. Momentos de sintonia são aqueles em que entramos num estado de predisposição mental e fazemos uma imersão mental no que há para além da dimensão física. São momentos em que desfrutamos o presente que o presente é.

Muitos de nossos cursos e eventos oferecem exercícios guiados de sintonia que ajudam o aluno em sua busca por sentido e significado, alcançando respostas ou elaborando novas perguntas. A própria definição da palavra "sintonia" no dicionário nos ajuda a compreender: "harmonia, modo semelhante de pensar, de sentir; em que há acordo, equilíbrio ou concordância".

Sintonia é buscar o fluxo e estar aberto a ele. Mas a palavra sintonia chegou ao Círculo muito antes de a escola existir. A origem está em nosso mentor e orientador espiritual, o General Alfredo Moacyr Uchôa (1906-1996), que, em sua trajetória terrestre de estudos e pesquisas parapsicológicas, implementou o hábito das sintonias nas vigílias ufológicas realizadas na fazenda de Alexânia (GO), ainda no final de década de 1960.

Paulo Uchôa, filho do General, conta que essa era a preparação para as longas noites de avistamento de fenômenos e contatos com seres de outras dimensões. No livro *Mergulho no Hiperespaço*, do General Uchôa, podemos ver uma referência a esses momentos:

Posto isso, todos reunidos, fizemos referência ao fato e, ali, em silêncio, nos postamos atentos, buscando realizar sintonia espiritual conforme o habitual. De repente, ao fazermos referências à Hierarquia maior atenta ao destino planetário, surgiu intensa luz acima do contorno de elevações. Sucederam-se algumas evoluções atípicas, numa clara demonstração de surpreendentes acontecimentos confirmativos do que fora anunciado uma semana atrás.[13]

A sintonia é o primeiro passo para a conexão, comunicação e cocriação com seres e humanidades multidimensionais. É a porta de entrada para uma experiência exoconsciente. É o dizer **"eu quero"** para si mesmo. Estar em sintonia reorganiza o epicentro da nossa existência, que é o espírito. São momentos preciosos em que começamos a assimilar o projeto da melhor versão de nós mesmos.

Consistência sobre o tempo

Este conceito de consistência sobre o tempo é fundamental no processo de cocriação exoconsciente, e o aprofundaremos no capítulo sobre a fórmula da cocriação. Na vida de oração, a perseverança é mais importante que a intensidade:

Para tornar a madeira curva, os artesãos a umedecem e, pouco a pouco, um pouco por dia, moldam com força moderada sua estrutura. Assim é com os seres humanos. Um único golpe, intenso, quebraria a madeira e não a moldaria no formato desejado. Tal qual a umidade amolece as fibras da madeira,

---

13. UCHÔA, A. MOACIR. *Mergulho no hiperespaço*: dimensões esotéricas na pesquisa dos discos voadores. São Paulo: Editora do Conhecimento, 2015. p.67.

O mais importante ingrediente
para um feitiço é a emoção.
Você precisa querer que
alguma coisa aconteça.
Precisa querer com todo o seu
ser e, por meio desse desejo,
você vai direcionar todo o
seu poder para a magia.[14]

---

14. BUCKLAND, Raymond. *Livro completo de bruxaria de Raymond Buckland*: tradição, rituais, crenças, história e prática. São Paulo: Editora Pensamento-Cultrix, 2019. p. 51.

tornando-as flexíveis e moldáveis, os ventos luminosos do alto preparam a fibra do espírito humano para ser de fato o que ele foi criado para ser.

Quando se tem claro o objetivo a ser alcançado, cada passo dado no caminho é mais firme e seguro, ainda que mil passos sejam necessários para vencer a jornada.[15]

A formidável visão do tio Kardec

Se avançarmos um pouco no tempo, Kardec, no *Evangelho segundo o Espiritismo*, vai dizer que a prece é uma invocação:

Por ela nos pomos em relação mental com o ser a quem nos dirigimos. Ela pode ser um pedido, um agradecimento ou um louvor.

Nesse trecho Kardec dá a receita do bolo para nos colocarmos em uma relação mental. Guarde essa expressão! Oração não é ficar pedindo ou esmolando. Tem muito mais a ver com contatos telepáticos e relacionamentos mentais do que você pode imaginar.

A Deus ou aos espíritos? Olha só que coisa: "As preces dirigidas a Deus são ouvidas pelos espíritos encarregados da execução dos seus desígnios. As que são dirigidas aos bons espíritos vão também para Deus".

Na dúvida se você deve orar para Deus ou para os espíritos, ore para quem você quiser! Mas ore! Seja para papai do céu, deus, mentor, anjo da guarda. Fale com quem você quiser. Não interessa a quem você está dirigindo suas palavras, mas **como** você está fazendo.

---

15. General Uchôa. Psicografia de 14 de agosto de 2018.

A oração que gera conexão genuína e exoconsciente é um processo de comunicação – com emissor, receptor e meio – pelo qual uma mensagem é transmitida. Ela tem determinado código ou linguagem que é emitido por quem fala e deve ser decifrado por quem recebe. Observe que o processo de oração é, no fundo, comunicação. Não tem a ver com ficar pedindo, louvando, chorando as migalhas. Às vezes pode ser isso também (faz parte!). É a intimidade dos envolvidos que manda! Pense no que você precisa comunicar, falar, trocar ideias. Percebe? Para quais aspectos ou situações da sua vida você precisa de uma opinião; sobre o que você precisa pensar? Isso é o processo de oração. É, na verdade, **um diálogo mental que se propaga para muito além de nós.**

Modus operandi da conexão

Veja a seguir o *modus operandi* da oração que titio Kardec vai nos apresentar:

> É necessário imaginar todos os seres encarnados e desencarnados **mergulhados no fluido universal que preenche o espaço,** como na Terra estamos envolvidos pela atmosfera. Esse fluido é impulsionado pela vontade, pois é o veículo do pensamento, como o ar é o veículo do som, com a diferença de que as vibrações do ar são circunscritas, enquanto o fluido universal se amplia ao infinito. Quando, pois, o pensamento se dirige para algum ser, na Terra ou no espaço, de encarnado para desencarnado ou vice-versa, uma corrente fluídica se estabelece de um para outro, transmitindo o pensamento como o ar transmite o som. **A energia da corrente está na razão direta da energia do pensamento e da vontade.** É assim que a prece

é ouvida pelos Espíritos, onde quer que eles se encontrem. É assim que os Espíritos se comunicam entre si, que nos transmitem as suas inspirações e que as relações se estabelecem à distância entre os próprios encarnados.[16]

Se abstrairmos toda a nossa tradição do que é oração, prece, jaculatória (e calma! Isso não é um palavrão), mantras ou coisas do tipo, e pensarmos na oração pessoal como um **processo de comunicação,** fica muito mais fácil.

Por exemplo, quando falamos com alguém pessoalmente, nossa voz emite um som que é levado em forma de ondas sonoras pelo ar até o aparelho auditivo da pessoa com quem conversamos. Essa vibração ressoa nos órgãos auditivos e é processada pelo cérebro, onde se torna compreensível para o receptor.

A oração é um processo de comunicação de pensamentos. Ou seja, se você fecha os olhos, se concentra e faz uma comunicação com alguém – seja Deus, seu mentor ou anjo da guarda –, esse é um processo de comunicação mental.

A oração não é um processo em que você pede a ajuda de alguém – como se fosse um coitadinho, esmolando por algo –, mas **uma comunicação com pessoas que estão colaborando e têm o mesmo propósito que você.** Aqui está a chave para a exoconsciência e para a cocriação multidimensional.

A prece – ou esse formato de comunicação telepática mental – não funciona exclusivamente de um ser encarnado para um desencarnado – ou que está além da matéria como a conhecemos. Como Kardec mesmo disse, os espíritos se utilizam

16. KARDEC, Allan. *O evangelho segundo o espiritismo*. Tradução Guillon Ribeiro. Brasília: FEB, 2019.

do mesmo fluido cósmico para transmissão de pensamentos. Eles trafegam informações por meio dele.

Mesmo entre os encarnados, esse fluido carrega os pensamentos de mente a mente. Portanto, como a oração é um processo de comunicação, seria possível incluir aqui o fenômeno telepático? Por que não? Quantos de nós já tivemos a experiência de pensar em uma pessoa e precisar falar com ela quando, de repente, toca o telefone e é a tal pessoa? E quantos também já ficamos mal e sentimos a energia de uma polêmica envolvendo nosso próprio nome?

Quando começamos a falar de vida de oração, é impossível não falar do *orai e vigiai*, que também diz sobre vigiar os próprios pensamentos, porque, no fundo, **oração é pensamento comunicado que flui e que é transmitido por esse canal do fluido cósmico universal.** Logo, a qualidade de nossos pensamentos está sendo irradiada por esse meio, e nada pode nos conter senão nós mesmos.

Emmanuel vai dizer o seguinte:

Orar é identificar-se com a maior fonte de poder de todo o universo, absorvendo-lhe as reservas e retratando as leis da renovação permanente que governam os fundamentos da vida. A prece impulsiona as recônditas energias do coração, libertando-as com as imagens de nosso desejo, por intermédio da força viva e plasticizante do pensamento, imagens essas que, ascendendo às Esferas superiores, tocam as inteligências visíveis ou invisíveis que nos rodeiam, pelas quais comumente recebemos as respostas do Plano divino, porquanto o Pai todo-bondoso se manifesta igualmente pelos filhos que se fazem bons.[17]

---

17. EMMANUEL (Espírito). *Pensamento e Vida*. Psicografado por Francisco Cândido Xavier. Brasília: Federação Espírita Brasileira, 2016. p.108.

Traduzindo Emmanuel: você entra num processo de comunicação com as esferas superiores, com Deus, e percebe que há energias pulsando no seu coração. São energias que você sente, que são honestas e verdadeiras. Aquilo que você pede e conversa com o seu mais profundo sentir, com sinceridade, chega ao racional do seu cérebro e passa a criar imagens do seu pedido, do que você verdadeiramente almeja, idealiza, criando pensamentos capazes de atingir as esferas superiores através do fluido cósmico. Essas imagens passam a navegar por ele, atingindo diretamente as consciências a quem nos dirigimos.

Podemos usar como exemplo um pai que roga em pedido do filho. O amor oriundo dessa relação é o que o faz pedir pelo pequeno. Imagens relacionadas ao bem-estar do filho são criadas, e a realidade (do pensamento) começa a ser moldada. Tudo isso acontece a partir de uma força que emana de seu peito, do coração, e trafega até chegar em seres de luz pelo fluido cósmico universal.

Um detalhe bem legal desse trecho é o seguinte: *tocam as inteligências visíveis ou invisíveis.* Curioso, não? Porque teoricamente os espíritos são invisíveis para nós. Então, quais seriam essas outras *inteligências visíveis* às quais ele se refere? Aqui podemos especular que o pensamento, a oração ou vibração – seja lá do que você quiser chamar – também influenciam os encarnados (pois esses nós podemos ver).

E vamos além! Seria possível enviar comunicações mentais com a força do pensamento? Seria essa a comprovação da existência da telepatia? Será que seria possível enviar comunicações mentais utilizando apenas a força do pensamento e o fluido cósmico universal para entidades visíveis e, por sua vez, tocáveis (materializadas), quem sabe corporificadas e pilotando naves?

Será que seria possível obtermos algum tipo de cooperação com essas entidades? Ok, parei por aqui.

Poderíamos resumir a oração pessoal, depois de tudo o que já abordamos aqui, da seguinte forma:

> Estado de sintonia, conexão e comunicação inteligível e/ou inefável com o Todo e seus colaboradores. É um mergulho na atmosfera espiritual, nossa pátria verdadeira que nos é natural, de onde viemos e para onde retornaremos. É como um banho de sol, no qual nos expomos ao amor de Deus, nosso sol espiritual que a tudo e a todos sustenta.

Oração é um estado de conexão

Ressignificar a oração é transformá-la numa ferramenta exoconsciente. Entro em sintonia, crio um estado mental, que por sua vez tem como objetivo a conexão, que visa acessar a linha de transmissão chamada de fluido cósmico universal para estabelecer comunicação com seres e humanidades multidimensionais.

> Se o Universo é Mental na sua natureza substancial, segue-se que a Transmutação Mental pode mudar as condições e os fenômenos do Universo. Se o Universo é Mental, a Mente será o poder mais elevado que produz os seus fenômenos. Se se compreender isto, tudo o que é chamado milagres e prodígios será considerado pelo que realmente é.[18]

18. OS TRÊS INICIADOS. *O Caibalion: estudo da filosofia hermética do Antigo Egito e da Grécia*. São Paulo: Editora Pensamento, 2018. p. 126.

Fala-se e escuta-se! A comunicação pode ser inteligível ou inefável porque posso estar em contato com seres, pessoas, espíritos ou até mesmo com Deus. É possível receber uma mensagem que eu compreenda da mesma forma que posso receber um bloco informacional que comunica várias coisas, mas que é inefável, ou seja, que não tem expressão verbal nem forma de palavras. É algo que passo a saber que sei, sem saber exatamente como soube.

É diferente, porém factível. Da mesma forma, posso traduzir meus anseios, necessidades e assuntos com os quais quero tratar com esses seres, de forma verbal, ou simplesmente posso expressar de forma inefável. Concordo com Søren Kierkegaard quando diz que a função da oração não é influenciar Deus, mas especialmente mudar a natureza daquele que ora. Somos mudados em nosso "estar" por aquEle que "É".

Workshop sobre Starlanguage

O Starlanguage é uma expressiva ferramenta de cura física, emocional e espiritual, e pode ser utilizado para si ou para outrem. Este workshop explora como esses "mantras espontâneos" podem potencializar o processo de fluxo de energia cósmica que existe em cada um de nós.

Oração é deixar-se amar! Momentos de oração são como verdadeiros banhos de sol. Teresa D'Ávila tinha um método bacana sobre a vida de oração sobre o qual ela dizia: **"Deus é Amor. Orar é deixar-se amar por Deus"**. Veja que coisa simples: isso é intimidade de quem se ama.

Há aquelas que pedem esmolas a Deus e recebem o óbolo do mendigo, não a herança do filho. O mendigo suplica; o filho solicita. Quando pede, o mendigo bajula, se submete e rasteja; quando solicita, o filho é direto, sincero e afetuosamente corajoso. Quem solicita como filho recebe tudo o que o Pai possui.(…) Primeiro, estabeleça sua identidade com Deus, como fez Jesus, compreendendo, na alegria da meditação, que "Eu e meu Pai somos um".[19]

Se você ama profundamente uma pessoa, seu desejo é estar ao lado dela, e não importa muito o que vai fazer… seja fazer nada juntos no sofá, abraçar, beijar, sentir o cheiro, dormir abraçado ou no colo, seja cuidar, fazer coisas de que ela gosta, cozinhar para ela, fazer algo que irá deixá-la feliz. Isso tudo é amor, ainda humano, mas é amor presente nas coisas mais simples… Agora transporte isso para o plano do relacionamento espiritual e você vai ver que é fácil manter uma vida de oração.

Mas o que eu faço? Eu não sei fazer isso! Fique com a imagem de um banho de sol. O que você precisa fazer para tomar sol? Basta estar na presença dele. Só isso. Precisa sair, sentar ou deitar-se, despir suas proteções contra o sol e se expor aos raios do sol, à sua luz.

Todos os dias nos expomos ao calor do sol, que produz uma série de efeitos positivos em nosso corpo, e não dirigimos nenhuma palavra sequer a ele, que também não se comunica diretamente conosco com nenhuma palavra.

É a mesma coisa com a vida de oração. O seu momento pode começar com essa analogia, como se fosse um banho de sol. Co-

19. YOGANANDA, Paramahansa. *Como despertar seu verdadeiro potencial*. São Paulo: Pensamento, 2019. E-book.

loque-se para o Todo, exponha-se. Deixe-se ser amado ou amada por Ele todos os dias. E aí está a beleza da coisa. Da mesma forma que o sol nos transforma e nos carrega de energia, dando mais saúde para nosso corpo, dessa mesma forma, estar consciente na presença do Todo gera transformação em nós.

> O indício mais seguro de uma vida superior é a serenidade. O progresso moral resulta do fato de você se ver livre do tumulto interior. Você deixa de se impacientar com cada coisa que acontece.[20]

Mas como é estar na presença do Todo? Veja, isso é uma figura de linguagem. Estamos mergulhados Nele. **Estamos para Deus como o peixe está para o mar.** A água do mar está dentro do peixe, fora do peixe, o cerca, está no que o peixe é, e não há como separá-los. Da mesma forma, não há como nos separarmos do Todo, mas a questão é o quanto a nossa consciência se volta para essa realidade. Porque à medida que isso ocorre, somos impactados e afetados por ela.

Voltando ao método teresiano… Teresa D'ávila é considerada pela tradição cristã como uma doutora mística. Era, de fato, uma médium curiosa. Ela se relacionava com Deus de forma muito amorosa. **Para ela, ter uma vida de oração não era sobre pensar muito, mas sim sobre amar muito.** Ela entrava em profundos estados de conexão com Deus que realmente chamam atenção. Em algumas vezes, no meio da missa, Teresa entrava em tamanha conexão espiritual que, em transe, desfalecia, e seu corpo começava a levitar. Houve vezes em que o seu corpo foi até o teto da igre-

---

20. EPICTETO; LEBELL, Sharon (org.). *A arte de viver: O manual clássico da virtude, felicidade e sabedoria*. Tradução: Maria Luiza Newlands da Silveira. Rio de janeiro: Sextante, 2018. p.39.

ja, tamanho era o arroubo espiritual e a intensidade com que ela vivia esse momento. Em algumas vezes, outras freiras sentaram sobre seu corpo para evitar a levitação, mas ainda assim ela levitava, levando consigo as irmãs. Tudo está nos registros históricos dos conventos por onde passou. Esse é um exemplo entre vários fenômenos que acompanharam sua jornada mística.

Não adianta você simplesmente querer trabalhar e realizar, porque a força motriz que impulsiona é a sua experiência pessoal de amor com o Todo. Nesse processo, vai passar por fases de autoconhecimento, autopercepção, processos em que olhamos para dentro e vemos que fazer silêncio pode ser mais difícil do que parece; que somos inquietos e que queremos cuidar de mil coisas ao mesmo tempo.

À medida que nos colocamos nesse relacionamento pessoal, descobrimos quem de fato somos e temos essa experiência de estar integrados com o Todo. Ainda imperfeitos, mas em jornada; ainda limitados, mas em processo evolutivo; imbuídos dessa experiência de amor, de acolhimento, somos capazes de amar e acolher a quem nos procura.

CAPÍTULO 5

COMO COMEÇAR O SEU DIÁRIO ESPIRITUAL

COMO COMEÇAR
O SEU DIÁRIO
ESPIRITUAL

Não há vida sem experiência. Vida e experiência são sinônimos.[21] **Exoconsciência é uma filosofia de vida experiencial.** É importante ressaltar que toda técnica que vou apresentar não é absoluta nem perfeita, muito menos obrigatória. Entenda como a rodinha da bicicleta quando começamos a aprender a andar. Você coloca a rodinha até pegar confiança e equilíbrio para, aí sim, tirar a rodinha e seguir em frente.

Não precisa se ater a essa fórmula para sempre, mas, se se sentir confortável, continue com ela. **O que quero deixar claro é que não estou ditando regras, mas sim apontando caminhos.**

A forma não é nada, o pensamento é tudo. Faça cada qual a sua prece de acordo com as suas convicções e da maneira que mais lhe agrade, pois um bom pensamento vale mais do que numerosas palavras que não tocam o coração.

21. MATTIS-NAMGYEL, Elizabeth. *O poder de uma pergunta aberta*: o caminho do buda para a liberdade. Teresópolis, RJ: Lúcida Letra, 2018. p. 145.

JULIANO POZATI

Em outras palavras, mais importante é a sinceridade do compromisso e como rola em seu coração, nesse processo de diário espiritual e de construção da vida de oração, que é a base de sustentação energética para tudo o que estamos nos propondo a fazer.

Então, estar em oração, em sintonia, conexão ou comunicação é, sobretudo, estar alinhado com o fluxo do movimento e com o propósito que nos guia.

Método dos 15 minutos
TODOS OS DIAS

Quero lhe apresentar o método dos 15 minutos diários. Ele se chama **Diário Espiritual** por conta disso: porque é todo dia! (risos) Não adianta a gente querer ter uma vida de oração sem intimidade. Intimidade é confiança, e confiança é fruto direto da consistência ao longo do tempo.

Por que 15 minutos? Para manter a disciplina. Não adianta ficar por horas em um único dia apenas. Quando era jovem, perguntei ao meu mentor espiritual (encarnado no caso) qual seria o tempo ideal para entrar em contato com Deus diariamente, e ele me respondeu: "15 minutos. Todos os dias". Eu, no meu ímpeto, me considerando muito íntimo de Deus, no primeiro dia fiquei por duas horas conversando com Ele. Altos papos. No segundo dia não fiz meu encontro (hahaha). E passei muitos anos sem fazer. Sacou?

Quinze minutos todo mundo tem. Duas horas já é mais complicado. Quinze minutos é tempo da soneca, do celular pela manhã, é uma pequena parte do tempo que você passa navegando nas redes sociais e, ousaria dizer, não chega perto do total de tempo que você utiliza respondendo mensagens do WhatsApp.

Observe o seu dia e vai perceber que 15 minutos se encaixam na rotina de qualquer pessoa, por mais ocupada que ela seja.

Se você não conseguir organizar as 24 horas que estão à sua disposição todos os dias e tirar 15 minutos para estabelecer um mínimo relacionamento com a espiritualidade, com os tais seres e humanidades multidimensionais... vai querer trabalhar com eles de que jeito? Diz aí... Percebe a falta de coerência entre uma coisa e outra?

Pense num time de futebol. Para jogar bem, eles treinam todos os dias. Ainda que não seja treino em campo, vão para a academia, fisioterapia, todos juntos. Eles têm intimidade, constroem uma relação sincera de parceria porque têm um objetivo em comum.

Agora imagine um time bem formado, ciente de qual é a estratégia que o treinador estabeleceu para o jogo, como será a formação em campo, qual a função de cada um, e de repente chega um novo jogador que não treinou, não conhece como é o time ou a estratégia e vai para o meio de campo.

Como será essa partida? Isso não tira o mérito do jogador, ele pode ser excelente, mas, se não tiver entrosamento com os demais, não é possível fazer um bom jogo. **Ele está desconectado do time e da estratégia, o que, necessariamente, prejudica a performance.** Por isso reforço a importância de se ter, todos os dias, esse momento de conexão.

No Reiki, por exemplo, fala-se dos 21 dias de autotratamento para o seu equilíbrio. Acontece que esse período de 21 dias faz seu corpo se acostumar com essa nova energia. Várias práticas existem com 21 dias para a mudança de algo. Parece ser um ciclo natural na nossa vida, entendido pela mente.

JULIANO POZATI

Em três semanas, os ritmos orgânicos se adaptam – o que parece estar diretamente ligado à glândula pineal, uma glândula que temos no interior do cérebro, que traduz estímulos eletromagnéticos em neuroquímica e é nosso órgão cronobiológico. É também responsável pela nossa vigília, ciclos de sono – sincroniza nosso corpo com o meio ambiente e o universo em que nos contemos.

Por exemplo, parece que não, mas, da mesma forma que o eletromagnetismo e a gravidade da lua influenciam as marés, colheitas e qualidade do desenvolvimento das frutas, também interferem no ciclo menstrual, na gravidez... É a pineal que estabelece essa conexão entre, digamos assim, o "relógio cósmico" e o nosso corpo. Nosso corpo tem ritmos e uma fina sintonia com essa "orquestra" universal que rege o tempo e o espaço.

Por isso reforço tanto a necessidade de ser diário. Quando isso entrar na rotina, se por algum motivo você não puder ter o seu momento, provavelmente vai sentir falta.

Quatro dicas para você começar a criar o hábito:

1. Ambiente reservado.
2. Horário.
3. Aviso aos navegantes.
4. Celular desligado.

Ambiente reservado

O lugar onde você decidir fazer esse processo de conexão precisa ser **um local que lhe permita a interiorização e o silêncio.** Não precisa ser em um templo, parque ou floresta. O lugar em si não importa, mas sim que ele seja reservado para isso. Já fiz até no banheiro do fundo de casa, quando morava com meus pais. Tem que ser um local fácil de ser inserido na sua rotina. Evite dificuldades de logística para ir e voltar; evite lugares com muitas pessoas; não o condicione às possíveis intempéries.

Pode ser no escritório, no trabalho, em casa, na sala, no quarto, no jardim ou no banheiro... vai que é lá que você consegue ficar concentrado! (risos) É importante que seja íntimo e legal para você.

Aqui vale dizer que nem todos os dias da sua vida você vai estar no mesmo lugar, certo? Talvez você viaje (a trabalho ou de férias) e seja preciso alterar o local você faz sua conexão. Não tem crise! Uma das coisas que você pode fazer é mentalmente se conectar ao seu cantinho de meditação no espaço-tempo e se transportar para esse lugar seguro, aconchegante, acolhedor e tão familiar. Imagine-se lá e toque em frente.

Inventei jeitos de entrar em sintonia e conexão em todos os lugares: encostado no carro estacionado na rua, no banheiro da casa de amigo, no chão do quarto do meu filho com ele no colo. O lugar, o jeito, a posição ou a circunstância deixaram de ser desculpas e passaram a ser oportunidades: tudo isso são apenas portas diferentes que dão para o mesmo salão cósmico onde me encontro com o dono do Universo. **Carrego a porta do escritório de Deus dentro de mim aonde quer que eu vá, e sou convidado VIP: entro no seu gabinete a hora que eu quiser.**

Horário

Uma vez definido onde, o horário deve ficar a seu critério. Experimente fazer sempre na mesma hora, porque isso ajuda você e os seres multidimensionais a criarem uma rotina. Pode ser pela manhã, à tarde ou à noite. **O importante é manter o compromisso**

com esse ideal. Muitas pessoas vão preferir pela manhã, porque a mente tende a estar mais tranquila e descansada, sem ter sofrido a avalanche de informações que recebemos ao longo do dia. Para mim, por exemplo, funciona muito mais fazer pela manhã, durante minha corrida, perto das 5h40, ou antes de dormir com o meu filho; mas talvez com você seja diferente. Perceba quando estará mais propenso ao silêncio.

Pode ser que você estipule um horário, mas alguns compromissos da sua agenda começam a tomar conta desse momento. Perceba o movimento e troque o horário quando necessário, mas não deixe de fazer.

Aviso aos navegantes

Outra coisa muito importante: **avise quem compartilha o espaço com você que é seu momento de oração/conexão.** Qualquer, e repito, qualquer que seja o assunto, a menos que alguém esteja de fato morrendo, pode ser adiado por 15 minutos.

Não quer falar que é oração?

Chame de prática, conexão, meditação, concentração, interiorização, mas informe que você precisa do isolamento total nesse período. Pode até colocar a "culpa" neste livro. Diga assim: "Estou lendo um livro do Pozati e experimentando um estilo de vida exoconsciente que me recomenda 15 minutos diários, e estou começando hoje!".

Se a conexão é um processo de comunicação com entidades que nossos olhos físicos não podem ver, como pretendemos nos comunicar com eles (a quem não vemos) se não conseguimos falar com aqueles que vemos diariamente? Pode parecer piada, mas é verdade. Se encarnamos na Terra, é porque ainda temos o que aprender com as relações humanas. E estabelecer diálogo e comunicação é um grande desafio. Tenha isso em mente. Então comunique, fale, criatura!

Pode ser que no começo as pessoas achem estranho, não respeitem, interfiram, mas mantenha-se concentrado nos seus 15 minutos e ignore as intromissões. Espere sua oração terminar e relembre os demais que durante esse tempo você não responderá a nada nem ninguém. Só não vale criar uma briga por causa disso, beleza? Tenha paciência, que o andar da carruagem acomoda as melancias.

Agora, vou lhe contar um causo. Desde o contato com o mestre Yogananda mais recentemente, tenho me esforçado para ser mais constante com meu Diário Espiritual. Faça chuva ou faça sol, 15 minutos por dia. É o momento em que mergulho na realidade de que moro dentro do Deus que mora dentro de mim. **O nosso silêncio termina em diálogo íntimo, e o nosso diálogo encontra o seu ápice no silêncio.** Até aí, tudo lindo e maravilhoso. Mas quando meu pequeno furacão de seis anos vinha para casa, confesso que eu me atrapalhava um pouco com a fidelidade ao programa.

Acabava me embananando porque tinha expectativa de ser um monge tibetano em meditação no cume de alguma montanha silenciosa levitando como mestre Yoda! Não sou nenhum monge nem um Jedi. Sou brazuca como você: trabalho, faço almoço, atendo mentoria, faço reunião, dou aula, sou marido, pai, padrasto de cachorro.

Decidi que, **se Deus está "camuflado" na minha vida cotidiana, então tudo o que aparentemente me distrai na verdade é um convite para que eu compreenda a presença dele em tudo.**

Assim comecei a meditar no meio da sala, na cozinha, no quarto do Lorenzo, no carro, na recepção da psicóloga, na sala de espera da dentista, em resumo, em qualquer lugar. As pessoas não pedem licença pra ser toscas; também deixei de pedir licença para meditar onde quisesse.

Certa semana, estava comemorando mais de 80 dias ininterruptos de sintonia diária e estava muito feliz, porque certa noite meditei antes de dormir, no chão do quarto do Lorenzo. Ele ficou rodeando, rodeando, até que perguntei se queria meditar comigo, e ele disse que sim. Sentou-se em posição de lótus dentro da minha posição, colocou as mãos em postura dentro das minhas mãos em postura e, de olhos fechados, recostou sua cabeça no meu peito. Nunca me esquecerei desse dia! Com 10 minutos, propus de dormirmos, pois achei que seria cansativo para ele. "Mas, pai, ainda não deu o tempo", disse, apontando para o cronômetro. Fomos até o final! No dia seguinte, indo para a escola, vejo pelo retrovisor a criatura em posição de lótus no banco de trás. "Está meditando, filho?". "Sim", respondeu, com sorriso de cara de pau. "É que ontem me senti muito ótimo na meditação." **Desde então, medito dentro do Pai, e meu filho medita dentro de mim.**

Desligue o "bendito" celular

O que interessa é não ser incomodado por notificações advindas desse aparelhinho que é praticamente uma extensão de nossos corpos. Deixe de lado o celular, apenas por 15 minutos. Olhar o celular é a primeira e última coisa que fazemos no dia, já percebeu? Vamos ao banheiro e levamos o celular (antigamente era o livro) – vivemos realmente uma época de hiperconectividade. Você vai perceber que é bem difícil se desconectar do celular no início, contudo, os benefícios serão muitos! Vá por mim. Desligue tudo!

Oração é um processo de sintonia, conexão e comunicação com o Todo e os seus colaboradores, por meio do fluido cósmico universal, e é preciso estar num estado propício a isso. **Pode ter certeza de que o mundo inteiro vai querer falar com você nesses 15 minutos,** mas, como falei anteriormente, a menos que alguém esteja falecendo, tudo pode esperar um quarto de hora passar.

Entre no estado de sintonia e conexão

Depois de preparar todo o terreno para o seu momento, busque o estado de sintonia e conexão, para que assim aconteça a comunicação. Esse estado pode ser alcançado de diversas formas:

- **Busque uma posição confortável:** seja sentado, em pé ou deitado (cuidado para não dormir), no chão, no sofá, na cama, de pernas cruzadas. Não importa. Escolha uma forma confortável. O recomendável é que a coluna esteja alinhada;
- **Feche os olhos para o mundo físico:** o meio de comunicação entre os planos é a sua consciência. Se os seus olhos estão abertos observando o mundo que o cerca, seu ponto focal está lá. É muito difícil, no início, abstrair as coisas terrenas e entrar num estado alterado de consciência se você estiver com os olhos abertos. Agora, se fechar os olhos, corta imediatamente a conexão visual com o mundo físico. Permaneça por algum tempo assim e comece a perceber os pensamentos que fluem, entrando no mundo interior;
- **Relaxamento:** uma vez escolhida uma posição confortável (no início pode ser mais difícil encontrar uma... vá testando a que melhor funciona para você e mantenha--a sempre durante as práticas), repita-a por algum tempo para familiarizar o seu corpo ao estado de sintonia e co-

nexão mental. Cerimoniais são importantes para reforçar essa conexão, como mencionei ao abordar o paradigma culto-clero-dia-templo. Mesmo não precisando disso, temos necessidade de hábitos que treinem nossa mente, pois somos seres que vivem na terceira dimensão, e nossos corpos estão regrados pelos ritmos biológicos. São inúmeras as técnicas de relaxamento, e fica a seu critério definir qual a melhor para você. Há uma que fazemos bastante nos exercícios do Círculo, que é imaginar seu corpo relaxando da ponta da cabeça ao dedão do pé, passando pelo rosto, pescoço, tórax, barriga e pernas, e tudo isso pode ser "falado" mentalmente, pensado e sentido. Isso faz parte do seu processo de autoconhecimento;

- **Respiração:** depois, concentre-se na respiração. Como no relaxamento, há inúmeras técnicas e tipos de respiração. Escolha a que faz mais sentido para o seu exercício e mande ver! Sem falar que você pode, simplesmente, inspirar pelo nariz e soltar pela boca tranquilamente;

- **Música:** entendo a música como vibração, e isso facilita o estado de sintonia e conexão. Para mim, essa é uma parte imprescindível do exercício. O que não significa que não me conecto sem ela, mas é que facilita bastante o estado de sintonia. Funciona como um gatilho mental por conta de todos os treinamentos que já tive, e por isso ela funciona como uma porta de conexão. Crie a sua *playlist*. Pode ter música instrumental, cantada, podem ser pontos, mantras, qualquer que seja, desde que música de qualidade. Tenha bom senso nesse momento;

O Poder Espiritual da Música

Nesta aula do Círculo, propomos um questionamento filosófico a respeito do poder espiritual da música e do Princípio de Correspondência do Hermetismo.

- **Incensos:** além de aromas, óleos essenciais, fragrâncias etc., que são muito legais. Os pesquisadores estão chegando à conclusão de que o olfato é o único sentido cuja informação captada é levada diretamente para o cérebro. O estímulo não tem nenhuma barreira até o córtex cerebral. Sabe aquele cheiro de saudade, de bolo de casa de vó, cheiro de uma colônia de férias, do perfume de uma pessoa que você amou, e que imediatamente desperta sensações involuntárias em você? Pois é, isso acontece porque o cheiro ultrapassa os filtros racionais e vai além. Ache o cheiro que o leva para Nárnia e curta seu momento. Há várias dicas entre aromaterapeutas;

- **Silêncio:** talvez o mais importante de todos os pontos anteriores, e o mais difícil, porque a gente não sabe calar a boca. E quando ficamos quietos, não calamos a mente. É impressionante! Esse, sem dúvida, é nosso maior desafio para o Diário Espiritual. Provavelmente, depois de toda a preparação anterior, ao fechar os olhos, uma enxurrada de pensamentos vai povoar a sua cabeça, o cérebro vai ficar ansioso para receber estímulos, e isso é tudo o que não queremos. Porém, é nessa hora que podemos olhar para dentro de nós mesmos e perceber o que está acontecendo na nossa casinha interior. Pode ser que esteja uma bagunça, mas está tudo bem! Coloque-se na posição de observador e procure entender por que aquele tipo de pensamento vem em determinado momento. Sente-se no banco de trás de si mesmo. Perceba tudo aquilo que está fluindo na sua mente e vá desligando os pensamentos paulatinamente. Deixe a ideia vir e passar, não alimente esse pensamento. Você, como espírito, comanda o cérebro e pode, inclusive, dizer mentalmente para ele que estará, por um instante, acalmando e desligando os pensamentos e preocupações – silenciando por 15 minutos todas as vozes que estejam atrapalhando sua conexão.

Use esse momento como um verdadeiro banho de sol da espiritualidade, para ser amado, recebido, para se abastecer, para se energizar. Apenas exponha-se ao sol. **Use a dica de Teresa: apenas exponha-se à espiritualidade.**

Depois disso, por mais que ainda exista alguma angústia interna, perceba que tudo está no seu devido lugar e que tudo tem jeito; por pior que seja o sentimento que exista aí dentro, tudo vai ficar bem. Entenda que tudo está em seu devido lugar.

A primeira instrução de prática que Rinpoche me deu foi: "Não crie". Ele me disse: "Deixe sua mente em seu estado natural – não faça nada. Quando pensamentos e sensações surgirem, apenas deixe que surjam. Quando eles se forem, apenas os deixe-ir. Não tente manipulá-los". E depois partiu para o Tibete por seis meses...[22]

---

22. MATTIS-NAMGYEL, Elizabeth. *O poder de uma pergunta aberta*: o caminho do buda para a liberdade. Teresópolis, RJ: Lúcida Letra, 2018, p. 148.

Outra técnica interessante é fazer do pensamento um carro que passa por uma avenida à noite. Ele vem, você vê, e ele vai embora. Precisa pagar uma conta? Beleza, quando sair daqui eu pago. Não serão esses 15 minutos que vão mudar os juros após o vencimento. Percebe? Até o momento em que a mente vai serenar e desistir de mandar pensamentos para você.

Outra forma de você relaxar para entrar em sintonia é a da visualização repetida. Você deve criar uma rotina ou uma pequena cerimônia que o leve ao estado alterado de consciência e sintonia. Por exemplo, lembra o sinal da cruz: *em nome do Pai, do Filho e do Espírito Santo. Amém!* Essa é uma das mais antigas e conhecidas técnicas de visualização repetida, que automaticamente coloca milhares de cristãos em sintonia. **Isso é como um código visual de que entraremos em um estado de conexão, em sintonia com algo que está para além de nós.** Trazendo isso para nossa prática, podemos nos imaginar no ambiente em que definimos, daí abre-se uma janela e você voa por ela até as nuvens, onde vai tomar um banho de sol e se encontrar com as pessoas. Lembre-se de que isso é algo imaginário – não vá se jogar pela janela! Você está indo mentalmente a esse local. Contudo, se faz isso todos os dias, cria-se essa rotina.

Outro exemplo que você pode usar é se imaginar caminhando em um campo, com animais, cercado por natureza, e começar a relaxar... Isso fica a seu critério. A ideia é criar imagens que facilitem a entrada no estado alterado de consciência. Tudo isso reproduz dentro de nós a parte boa do paradigma culto-clero-dia-templo, só que com liberdade e autonomia.

A maioria das pessoas são arrastadas à pedra que cai, obedientes ao meio, às influências exteriores e às condições e desejos internos, não falando dos desejos e das vontades de outros mais fortes que elas, da hereditariedade, da sugestão, que as levam sem resistência da sua parte, sem exercício da Vontade.[23]

Dê o primeiro passo: queira! Entre em sintonia, nesse estado de pré-disposição mental em que nossa vontade procura mentalmente se encontrar com o Pai de Todas as Coisas. A sintonia é sincera e perseverante. Não é vontade que não dura de um dia para o outro. É um desejo mais profundo, que cutuca e instiga todos os dias. Renda-se a esse desejo sincero de reencontrar diariamente a sua origem cósmica numa reunião secreta com o dono do universo. Para entrar em seu gabinete, apenas feche os olhos, mergulhe dentro de si e encontre a porta sempre aberta do seu coração.

Por que não começar ainda hoje? Por que não agora? Termine este texto, feche os olhos e, por 5 minutos cronometrados no relógio, nade com a sua mente até a superfície, respire a atmosfera espiritual!

Sintonias Guiadas

Aqui você encontra diversas Sintonias e Meditações guiadas do Círculo Escola. Se quiser, pode começar usando algumas delas, como rodinhas da bicicleta.

EXOCONSCIÊNCIA

23. OS TRÊS INICIADOS. *O Caibalion: estudo da filosofia hermética do Antigo Egito e da Grécia*. São Paulo: Editora Pensamento, 2018. p. 103.

Comunicação

Depois de todo esse período de conexão e sintonia, entra a parte da conversa, da comunicação. Esse processo é de intimidade. **Quer coisa mais íntima do que se sentir confortável na presença de alguém, ainda que em silêncio?** A gente só consegue ficar em silêncio, sem constrangimento, com alguém de quem somos íntimos. Já percebeu que, quando não somos tão próximos de alguém, é difícil ficar calado ao lado dele? Falamos, falamos e falamos sem parar! Isso acontece muito quando conhecemos alguém novo, preste atenção!

É o centro da oração. Um diálogo íntimo com Deus e seus colaboradores em sua vida – a abertura do coração –, o falar com Ele cara a cara. Amar e deixar-se amar por Deus. Esse colóquio é como uma conversa, um bate-papo tranquilo. É um momento em que se pode dizer tudo, mas dizer tudo não é necessário.

Com a espiritualidade e com Deus, o Todo, não precisamos mostrar quem somos. Eles sabem. E sabem tudo, até o que você faz escondido de si mesmo, eles têm conhecimento. E está tudo bem. Você não precisa se sentir culpado nem espionado como se estivesse num *reality show*.

Madre Teresa de Calcutá, em uma entrevista, disse que conversava com Deus todos os dias. A jornalista, por sua vez, perguntou o que ela falava com Deus, e a madre carinhosamente respondeu que não falava nada, que **esperava para ouvir o que Ele tinha para dizer.** Curiosa, a entrevistadora perguntou o que Deus falava com Teresa, que respondeu: **"Ele não fala nada, fica esperando o que eu tenho para dizer".** Isso é a tal da intimidade. Não é preciso falar nada, porque Ele tudo sabe, e assim tudo está no seu devido lugar.

Com o compromisso começam a haver comunicação e experiências místicas mais diversas. É nesse momento que a escuta acontece. Você nota que existe mais alguém falando dentro da sua cabeça, e essa pessoa não é você. É uma inconfundível voz que surge do interior e que não é a nossa, ou seja, não expressa necessariamente algo que prevíamos.

É aquela voz que cruza a sua mente e, mesmo você tentando parar, não cessa. Tenta prever o rumo da conversa, mas isso é impossível. É como se estivesse em uma cabine de silêncio, com um fone de ouvido, e alguém traz **ideias surpreendentes pelas quais o seu processo de raciocínio não passou.** No fundo é uma manifestação mental, e aí é que entra o discernimento de pouco a pouco entender o que é o seu pensamento, as suas vozes, e o que é, no silêncio, a comunicação desses seres amigos e companheiros. Distinguir isso é a jornada de uma vida. Fique tranquilo e vá com calma. Se por muitas vezes você não "ouvir" nada, fique tranquilo – isso não é como receita de bolo. Vá suave, sem ansiedade ou expectativas.

É importante que a gente percorra juntos **como ocorrem essas vozes mentais** que nos comunicam informações que estão para além da realidade onde estamos. Para isso, proponho um exercício bastante simples: observe-se neste exato momento. Você está lendo este parágrafo que ditei, enquanto dirigia, para a Siri no meu celular. Enquanto você lê cada uma das palavras que cuidadosamente escolhi, um fluxo de encadeamento de ideias se forma na sua mente. Se você me conhece, ou assistiu a algum vídeo meu, pode ser que esteja inclusive imaginando os meus lábios, a minha voz, o meu jeito de falar. Neste momento sou uma voz na sua cabeça, cuja sequência de ideias está sendo transmitida através do código da linguagem, que se utiliza dos símbolos e caracteres de cada letra, de cada palavra, para chegar até o seu entendimento carregados de sentido e significado. O meio pelo qual a minha voz está entrando na sua mente é a linguagem escrita e a leitura!

Vamos ampliar isso um pouco agora. **Os seres e humanidades que se comunicarão com vocês farão surgir na sua mente uma voz que fala, assim como a minha voz está falando com você agora dentro da sua cabeça.** A diferença é que eles farão essa voz surgir a partir de outro código de linguagem, que necessariamente não passa pelas vias da cognição tradicional. As informações surgirão na sua mente, no formato de vozes, a partir da assimilação de estímulos eletromagnéticos codificados pela sua glândula pineal, e a partir dela serão transmitidos ao seu tálamo e seu córtex cerebral, de maneira que o estímulo é eletromagnético, mas a sua manifestação é na forma de pensamentos intrusivos, sobre os quais você não terá controle, gestão, autonomia e autoria. Eles simplesmente fluirão em você.

Imagens mentais

Imagens que surgem na tela mental dentro da sua cabeça são algo muito natural. Você passa a ver presenças, imagens, objetos, pessoas, lugares totalmente diferentes dos usuais, que podem ser usados pela espiritualidade para se comunicar com você. Podem surgir ideias, lições ou mesmo locais para mostrar alguma coisa oculta que precisa ser revelada. Sim, pode ser que suas imagens mentais o levem a visualizar um espaço real. Com o tempo você começa a discernir e entender essas coisas. E mais, não vai ser sempre que o entendimento virá na hora – você vai ver algo, vai anotar, mas não vai entender. Pode até levar anos para que ligue uma coisa à outra. Mas a experiência prova que as coisas sempre se ligam no final.

Essas imagens obtidas a partir do contato multidimensional surgem na sua tela mental espontaneamente. E é importante neste momento que você entenda onde fica essa tal tela mental.

Considere o caminho que vou lhe ensinar agora: você está de olhos abertos, olhando para páginas deste livro, reconhecendo cada caractere, de cada palavra, de cada frase. Você sabe a cor do papel, reconhece a cor da letra. Você também percebe perifericamente o ambiente ao seu redor. No entanto, se eu disser para você agora **"pense em um limão"**, provavelmente a imagem de um limão surgirá em paralelo, como que em uma nova janela, no seu plano mental. Você continua lendo as linhas deste parágrafo, compreendendo cada palavra que estou usando para lhe ensinar, cada etapa do caminho que estamos construindo quando, de repente: **limão.** Ele surge de novo. Tem a casca verde com pequenos poros. Está maduro, bonito e cheiroso. Observe que neste exato momento você continua de olhos abertos, reconhecendo cada palavra do que digo, mas em paralelo, em um lugar na sua mente, a imagem do limão permanece. E você pode até mesmo imaginar que uma faquinha de serra está cortando esse limão devagarzinho e aquele caldinho começa a escorrer, as bolsas de ácido da casca do limão se rompem, espalhando no ar aquela fragrância cítrica deliciosa. Muito provavelmente, ao ler essas descrições, suas papilas gustativas fizeram surgir água na boca.

Considere agora esse lugar na sua mente onde se abre essa janela e surge a imagem do limão. É precisamente aí que se encontra a sua tela mental. É um espaço que não ocupa espaço no espaço (risos). Comumente nos referimos a ele como um "espaço não local".

Novamente, é importante dizer que fiz surgir na sua mente a imagem de um limão a partir da transmissão de uma descrição detalhada, de uma fruta cujos elementos referenciais você já tem. Mas quem fez surgir a imagem na sua tela mental foi a minha descrição neste livro. O processo de clarividência ou de formação de imagens multidimensionais na sua mente não é diferente, se não pelo fato de que os seres e humanidades que se comunicarão com você ou o campo informacional que você acessará farão surgir na sua mente essas imagens espontâneas cujo desenvolvimento você não conseguirá controlar: elas simplesmente surgirão carregando um pacote de informações, símbolos e significados peculiares da história da sua vida.

Um aspecto importante sobre o conteúdo das informações que chegam até a nossa tela mental por meio de imagens é que estas, por sua vez, nem sempre apresentam um caráter objetivo no processo de comunicação. Muitas vezes o seu conteúdo será simbólico, ou até mesmo energético.

Não é porque vi uma cobra mordendo uma maçã que necessariamente estou acessando conteúdos sobre a ideia do pecado original ou a dieta prescrita no zoológico local da cidade. **O espectro simbólico da mensagem é revestido de significados que preenchem o nosso mundo interior.** Dessa forma, preciso compreender o que o símbolo da cobra significa na história da minha vida; o que o símbolo da maçã significa na história da minha vida; o que esses dois símbolos significam na mitologia arquetípica da humanidade; e como isso se relaciona ao momento de vida pelo qual estou passando.

Em todos os casos, sempre vale a pena observar o impacto sensorial que essa imagem trouxe ao surgir na sua tela mental. Minha recomendação inicial é para que, **no momento da trans-**

missão, não haja julgamento, apenas assimilação. O discernimento, o julgamento, a catalogação e qualificação da mensagem transmitida são tarefas para depois, no registro do diário e com as bênçãos do tempo.

Sensações corporais, emoções e assinatura energética

Com prática, você vai notar que algumas sensações corporais acompanham os processos de comunicação com as esferas espirituais.

Na minha experiência, percebo que, em processos de comunicação, há um formigamento no topo da cabeça, também conhecido como a região do chakra coronário. Você pode até não entender o que está sentindo, mas perceba em si as sensações corporais que vão acompanhar o seu processo de oração pessoal e contato com as esferas espirituais, e anote essas sensações.

Alguns sintomas comuns que podem aparecer: pressão nas têmporas, na nuca, arrepios, o coração pode ficar acelerado, os membros, muito frios. Pode ser até que uma emoção arrebatadora o acometa e o faça chorar, porque, muitas vezes, junto ao nosso espírito vem uma carga emocional muito grande.

Como já falamos, os processos de comunicação na oração pessoal às vezes são inteligíveis e, em outras, inefáveis. Às vezes é só um sentir, sem palavras.

Ao longo do processo, você pode perceber que, sempre que determinado ser vier conversar com você, determinada sensação vai acometê-lo. Isso é, resumidamente, a assinatura energética desse cara. Aí, quando em sintonia você tiver novamente aquele determinado sintoma, ficará claro para você quem é o ser comunicante, pela sensação física que o acompanha.

Você vai medindo e sentindo quando as coisas acontecem. Para isso, é necessário autoconhecimento, para saber o que é seu e o que é do outro.

Além das emoções que vão aflorar no seu sentir, é provável também ter a sensação como se partes do corpo fossem autônomas, independentes do resto. Braços com vontade de mexer, sensação de estar "desgrudando" da cadeira (quase como se fosse levitar), até sentir o corpo maior do que ele realmente é. Tem até gente que mexe o braço sem parar. Deixe separado lápis e papel – caso sinta o impulso de escrever algo... deixe a mão ser guiada.

O mais importante é não ter pressa, ansiedade ou preocupação; deixe fluir, deixe ser natural.

Nessa conversa, os assuntos são diversos, e a naturalidade é uma necessidade. A gente passou uma vida aprendendo a rezar na igreja ou em centros, que se utilizam, em sua maioria, de um português arcaico, com palavras difíceis, e a verdade é que não há necessidade disso!

Não é discurso de Odorico Paraguaçu, cheio de termos difíceis e complicados, mas sim uma conversa com seres que conhecem mais a gente do que nós mesmos. Como você fala com seus amigos? É dessa forma que se pode falar com esses seres: naturalmente!

Você vai perceber que os mentores que nos cercam estão num nível de linguagem muito parecido com o nosso. Dificilmente vai vir alguém que se utilize de palavras totalmente desconhecidas para você. Até porque a comunicação passa pela SUA mente, não é, meu bem? Como é que eles usarão palavras se não as encontrarem aí dentro de você?

O colóquio, a conversa, a prosa, precisam ser naturais, informais e tranquilos. A coisa tem que ter a nossa cara! Conversar com a sinceridade do coração. Não é a forma que você usa, mas sim, a intenção do coração. Você pode falar de tudo – não tem uma pauta específica ou restrições sobre o que você pode tratar com os seus mentores. Desde um dia cansativo, até uma ideia que você teve. Fale sobre o que você quiser. Peça conselhos sobre um tema que esteja tirando o seu sono, fale sobre alguém que você ama, fale sobre você. Fale sinceramente e de coração!

Se você leu um texto antes, pode ser que eles comentem o texto com você e o ajudem a entender como aplicar esse ensinamento no seu dia a dia. **Não pense que, em todo processo de comunicação com as esferas superiores, os seres transmitirão planos estelares para a regeneração do planeta, ou invenções geniais e fora da caixa com novas energias, ou que irão planejar minuciosamente com você a chegada dos extraterrestres.** Pode estar certo disso.

Talvez a sua mentoria espiritual esteja focada em resolver alguns impasses da sua vida que vêm sendo ignorados por você mesmo. Muitos estão dispostos a acompanhá-lo e a colaborar para que você cumpra a sua missão aqui na Terra, com o mínimo de desvios possível. As coisas surgem quando começamos a parar todos os dias e entramos no processo de silêncio, olhamos para o nosso interior e fazemos essa conexão.

Recomendações importantes

Depois de tudo o que falamos, de todo o direcionamento das primeiras páginas, **descole um caderno com folhas em branco para anotar o que acontece durante os seus momentos de oração pessoal.** Anote tudo com data, descreva brevemente as circunstâncias – o que você viu, ouviu ou sentiu. Se tiver vontade de fazer durante sua meditação, mande ver! **Se preferir, faça no computador, use o Google Drive, crie um blog... sei lá. Mas registre!**

A grande proposta do diário é que você possa consultar essas anotações, aprendizados e conversas depois. Olhar depois de um tempo os avisos e orientações que você recebeu – às vezes coisas que não conseguiu colocar em prática – e entender por que não o fez. Dinamizar o processo para, de fato, evoluir, que é a nossa grande meta final.

Aflorar e assumir o que somos e o que estamos fazendo aqui, qual o nosso propósito de vida, e caminhar para ele, sempre melhorando.

Discernimento

Outro ponto importante é que, quando você escreve, <u>há a possibilidade de discernir o que é seu e o que não é.</u> Esta, sem dúvida, é a maior questão para quem se coloca no caminho espiritual: saber o que é um pensamento e sensação seus e o que é realmente uma comunicação com os seres. E quando isso acontece junto e misturado – que, diga-se de passagem, é a maior parte das vezes.

Então, escrever tudo isso dá a oportunidade de se afastar da carga emocional que a vivência trouxe e a possibilidade de refletir com calma sobre tudo o que aconteceu. Olhar para os escritos depois de um tempo pode ser muito esclarecedor!

Mas como sei que minha experiência de contato dimensional foi real? Muita gente que procura processos de mentoria individual comigo vem em busca de validação da sua experiência pessoal com a realidade multidimensional. É natural, sobretudo no início, que a gente precise de orientação no próprio desenvolvimento de nossa habilidade exoconsciente. A principal pergunta que ouço é: "Juliano, será que a minha experiência foi real, ou foi coisa da minha cabeça?".

Na verdade é tudo "coisa da sua cabeça", já que é na tela mental, o "lugar" dentro de nós, onde a realidade transcendente se manifesta para a consciência, expandindo nossos horizontes existenciais para além do nosso corpo físico.

Mas se tudo rola na tal tela mental, como sei onde termina a minha imaginação criativa e onde começa a interação multidimensional com seres e humanidades que estão para além do nosso mundo físico?

A autonomia no discernimento, essa habilidade de "separar o joio do trigo" na baguncinha da nossa cabeça, vem com a experiência perseverante, já que a confiança é sempre uma construção no tempo. Mas rolam três diquinhas rápidas aqui.

Primeiro, o conteúdo surge e flui sem o nosso controle ou consciência prévia. Ele acontece diante de nós e é dirigido por uma mente que está para além da nossa mente. Por um momento, sentamos no banco de trás de nós mesmos e somos "dirigidos". Observe-se com atenção em momentos de sintonia e quietude. É sutil, mas é diferente.

Segundo, os conteúdos se fundem aos símbolos que são familiares ao nosso inconsciente, mas não ao nosso consciente. Daí que você vê a coisa, ouve a tal voz, mas não entende bulhufas. "E o que eu faço com isso, Pozati?" Se vira, oras! O símbolo é seu, lide você com ele. Compartilhe com seu mentor, terapeuta, psicólogo, cachorro. Percorra interpretações, faça conexões, estude! Signifique a mensagem e tome atitudes coerentes com esse significado. Nada pode estimular mais o plano espiritual a continuar se comunicando do que atitudes!

Terceira dica: deixe o tempo dizer o que é real. É por isso que o registro no Diário Espiritual é importante! Tem coisas que só o tempo vai dizer. **Se foi merda da sua cabeça, a descarga dos dias há de levar embora.** Se foi uma semente espiritual, então o adubo do tempo vai fazer desabrochar sentido e significado. Então "palma, palma, não priemos cânico". Vá de boa e no fluxo, sempre avante!

Mas de onde vêm as informações multidimensionais que eu acesso? A resposta é um pouco óbvia, e talvez por isso complexa: as informações vêm de múltiplas dimensões. É importante considerar, conforme mencionei antes, que existem dimensões do conhecimento que estão além das vias de cognição tradicionalmente conhecidas.

Com a palavra dimensões, quero significar um aspecto ou aspectos da realidade integral que transcendem o contexto da realidade física em que nos sentimos contidos.

Nesse sentido, as informações podem vir de um campo sistêmico que nos cerca e no qual estamos imersos. Uma dimensão informacional que é fruto da emissão dos conteúdos dos nossos próprios atos e pensamentos no tempo. Uma espécie de psicosfera. As informações também podem ser direcionadas a partir de seres e humanidades cujo *status* de vida se manifesta num endereço vibratório diferente do nosso. Também podemos acessar as informações a partir de camadas mais profundas da nossa consciência que não são comumente integradas ao cotidiano da nossa vida. Em todas essas dimensões e em muitas outras, é a postura exoconsciente que nos permite transitar com o espírito de verdadeiros buscadores do conhecimento que gera movimento e transformação.

"Os seus segredos são só seus"

O que você ouviu compete apenas a você, é seu! Calma lá! Não vá sair divulgando aos quatros cantos as mensagens que tenha recebido. Dê tempo para a informação passar pelo processo de alquimia dentro de você, encontrar ressonância e produzir efeitos.

Isso não quer dizer que você não possa compartilhar o que vem no processo de oração pessoal, mas dê tranquilidade, até mesmo para você entender o que está sentindo e vivendo.

Compartilhar excessivamente pode criar uma expectativa em nós mesmos que não é saudável. A ansiedade não ajuda no fluir das comunicações, pelo contrário, ela atrapalha. Podemos, nesse ímpeto, "querer demasiadamente" receber algo e acabar trazendo como mensagem "espiritual" uma crença ou projeção de nós mesmos. Por isso, calma, deixe a chuva cair. O que você ouve é seu. Tenha certeza de que aquilo está incorporado com você, que faz parte, que de verdade o transformou. Tenha tranquilidade de sentir a energia e os processos.

Pôr à prova

Ponha à prova o que você ouviu. Se recebeu uma mensagem muito surpreendente, que traz como conteúdo algum grande acontecimento, ponha à prova. Provavelmente, com um cenário tão amplo, outras pessoas trarão mensagens parecidas que confirmem aquilo que você recebeu. Peça comprovações para a espiritualidade.

Outro tipo de orientação que você pode receber está relacionado a coisas mais pessoais, como um novo emprego. Nesse caso, dificilmente um grupo de mediunidade do outro lado do país receberá a mesma mensagem, mas você pode colocar condições.

Exemplo: se for para eu mudar de emprego, preciso que outra pessoa (não relacionada ao assunto) cogite, em uma conversa, a possibilidade de eu trocar de trabalho e, ainda, em outro momento, quero que alguém do mercado fale comigo sobre mudança de carreira e novas oportunidades.

Pergunte à espiritualidade e peça que ela lhe dê sinais sobre o assunto. Ponha à prova, estabeleça condições e não fale para ninguém. Deixe a espiritualidade agir. Isso não é duvidar, mas é responsabilidade sobre o fenômeno que estamos vivendo. Se não, corremos o risco de começar a ter devaneios e viajar forte na maionese.

Tente parar o pensamento

Quando você está no seu processo de silêncio e aparece uma voz falando mil coisas, você começa a ouvir um pensamento articulado, frase a frase, e que teoricamente não é seu. Há algumas coisas que se pode fazer nesse momento. Uma delas é tentar parar esse pensamento, porque, quando for um estímulo externo, não será possível pará-lo, interferir ou prever a conclusão.

Quando estamos falando e conversando com as pessoas, minimamente há um planejamento dentro de nossas mentes sobre a linha de raciocínio que queremos seguir. **O que vai acontecer nos processos de comunicação espiritual é que o fluxo de ideias e a eloquência delas não vai depender da sua construção mental.** As palavras começam a se encadear e há sentido no que está sendo dito. Não é possível parar esse trem, já diria o bom mineiro. Ocorre além da sua vontade.

Esse é um parâmetro muito legal para perceber quando o pensamento realmente não é seu. Pode ser que no princípio, ao fazer esse teste, por nervosismo ou algo do tipo, você realmente corte a conexão com os seres e uma mensagem que era fruto da comunicação seja cortada, mas, com o tempo, isso já não ocorrerá mais.

Depois que você registra o pensamento, é possível avaliar o que foi dito e se perguntar "será que eu conseguiria ter aquela ideia ou conclusões na forma e velocidade que me ocorreram?". Avalie! Isso é o que o diário espiritual vai lhe permitir. **Não é apenas um registro para ficar dizendo "Ahh, os espíritos me avisaram"... É para você avaliar a qualidade das ideias que estão sendo transmitidas.** Pode ser algo que você já tinha estudado, mas que ainda não havia refletido sob aquele ângulo que a comunicação trouxe.

O tempo e o bom senso

Outras duas dicas valiosíssimas! Faça uso daquela máxima: dê tempo ao tempo. Se por acaso, em algum dos seus exercícios, você se deparar com outra vida, que mostre quem você foi, o que fazia e tal, use o bom senso e avalie se faz sentido você ter sido o que está vendo. Dê tempo para ver se outra comunicação ou experiência lhe trazem a mesma informação e reflita! Não precisa publicar na rede social que você foi a Cleópatra, não é mesmo?

Lá na frente, se você perceber que era realmente aquilo, maravilha! Mas, se não for, se notar que pode ter sido um devaneio de sua cabeça, está tudo bem. Também não vá se culpar por ter achado e jurado de pé junto que você era a Cleópatra na outra vida e depois vier a descobrir que foi uma assistente júnior de contabilidade no fim do mundo chamada Maria (sei lá... sem demérito algum aqui). Isso faz parte do processo! É para isso que você tem o diário. **Tempo e bom senso são dois parceiros essenciais na construção do seu diário espiritual e de um estilo de vida exoconsciente!**

Universalidade do ensino dos espíritos ou a boa e velha coerência

A despeito de existirem diversas egrégoras no plano espiritual imediato, por assim dizer, e mesmo que elas não se entendam completamente, todas elas são submissas a um plano superior maior que conduz os caminhos evolutivos da sociedade humana. Lá na ponta elas vão se unir e estarão no mesmo propósito, mas têm bases totalmente diferentes, que fluem para o mesmo objetivo. Afinal de contas, uma coisa é uma cidade astral sobre o Brasil que tem uma tradição cristã muito forte, e outra é uma cidade astral sobre o Butão, que nunca ouviu falar de Jesus... você há de convir que essa turma deve ser bem diferente, não é mesmo?

Aí a gente cai no que Kardec chamou de universalidade do ensino dos espíritos, que quer dizer que há certa coerência no que tange às coisas; não a coisas muito relativas e efêmeras, mas a moral e valores. Existe um eixo de verdade que permeia todas as coisas e egrégoras.

Durante o seu trabalho de decodificação, Kardec se correspondia com mais de mil grupos mediúnicos diferentes, trocando correspondências e psicografias. Por exemplo, quando havia uma questão para ser definida ou construída dentro da lógica, ele observava que da maioria deles vinham informações – se não idênticas na forma e escrita – idênticas no pensamento, na essência moral da coisa. **Isso porque há uma universalidade, uma essência maior por trás de todas as comunicações.**

É óbvio que, se isso aconteceu no tempo de Kardec, vai acontecer hoje também. Então, submeta aquilo que você ouviu à coerência dessa ideia de universalidade do ensino dos espíritos, porque, senão, corremos o risco de viajar na maionese e, também, de nos acharmos o guru iluminado, o novo embaixador, o novo sacerdote que vai estabelecer um novo paradigma de culto-clero--dia-templo. É o famoso ego espiritual!

Se por acaso você receber uma informação totalmente diferente do que se vem falando, pense nessa tal universalidade de confirmar se outras fontes também falam o mesmo sobre o assunto. Se não encontrar nada próximo em nenhum material, vale reavaliar e checar com os seres de sua egrégora se é isso mesmo, e questionar se outras pessoas podem confirmar a mesma mensagem.

Responda sempre a estas quatro perguntas diante de qualquer mensagem que você tenha recebido.

- É possível?
- É plausível?
- Quais as consequências que ela produziu em mim e naqueles que me cercam?
- É útil? Ou simplesmente não faz a menor diferença na vida prática dos seres humanos da Terra?

Veja que, dentro dessas quatro perguntas, podemos falar de uma série de outras que estão dentro do mesmo contexto. **Avalie. Tenha bom senso na hora de julgar as informações recebidas.**

É muito bom a gente questionar. Isso não é demérito algum, pelo contrário, mostra responsabilidade sobre o tema. Por sabermos da importância do assunto, não dá para tratá-lo de qualquer forma. Combinado?

Não escuto, não vejo, não sinto nada

A dica é a observação! Observe-se! Não crie ansiedade. Lembre--se da história do banho de sol. Ainda que nada seja dito, que você não tenha nada a dizer, mantenha-se em conexão, exposto e disposto a conversar com a espiritualidade.

Faça seus 15 minutos de oração pessoal de forma fiel. Mantenha a prática meditativa e deixe-se à disposição. Perceba o que vai acontecendo com você. Provavelmente haverá pessoas que logo no início viverão experiências muito legais; outras, por sua vez, demorarão bem mais tempo. Não pense na grama do vizinho. Cuide apenas do seu jardim. Comparar-se com o outro é sempre uma grande furada.

Para você ter uma ideia, há relatos no diário espiritual da madre Teresa de Calcutá de que ela ficou cinquenta anos na "escuridão espiritual". Não via, nada ouvia, nada sentia. E veja só o trabalho que ela executou. Então, mesmo que você não veja, ouça ou sinta, saiba que ainda assim o sol está lá para você.

A vida de oração é essencial para consolidar os passos de nossa jornada evolutiva e nos sustentar no serviço do bem. Sem intimidade com os planos que nos orientam, vamos perdendo a noção. É como se perdêssemos o sinal de GPS, e aí não é mais possível chegar ao nosso destino final.

Bora começar? Mãos à obra! Coração em sintonia, e deixe a comunicação do bem vir, que temos muito trabalho a fazer. Somente pessoas amadas têm condição de amar. Vá em frente, coloque em prática e aproveite o seu diário espiritual!

CAPÍTULO 6

A FÓRMULA DA COCRIAÇÃO EXOCONSCIENTE

A FÓRMULA DA COCRIAÇÃO EXOCONSCIENTE

Certo, percorremos o conceito de Exoconsciência, Identidade, Pertencimento, Flow, Sintonia, Conexão, Comunicação. Com o diário espiritual, falamos sobre técnicas e hábitos para desenvolvimento de um estilo de vida exoconsciente. Mas e a tal cocriação? Qual é a fórmula da cocriação exoconsciente utilizada no Círculo Escola? Qual é a jornada que percorreremos a partir de agora? Como fazer isso? Como traremos tudo isso para a prática em nossa vida? É o que vou explicar neste capítulo.

Saiba você, antes de mais nada, que todos os anos ministramos um Curso de Iniciação à Exoconsciência. No curso ensinamos você na prática a transportar o conhecimento e a espiritualidade para atitudes concretas no seu dia a dia, visando a plena realização do seu potencial: de boa, no fluxo e dentro do contexto em que você está inserido. Se este livro está fazendo sentido para você até aqui, você não imagina o que é passar um ano inteiro estudando com a gente.

Iniciação à Exoconsciência

O Curso de Iniciação à Exoconsciência é uma experiência completa de expansão da consciência com orientações práticas para a vida cotidiana.

Quando falamos sobre exoconsciência em nosso curso no Círculo, tratamos do tema do ponto de vista iniciático. Então, o que é uma iniciação? Como trazemos a exoconsciência e a cocriação com seres e humanidades multidimensionais para a funcionalidade em nossa vida? Essas são questões que procurarei responder a partir de agora, ao menos introdutoriamente.

É importante entender que os conceitos apresentados, racionais e lógicos, bem como as fórmulas, devem ser visitados periodicamente ao longo de toda a sua existência. Portanto, assuma que será uma tarefa perene, constante, e não exija tanto de si imediatamente, mas esteja preparado para uma jornada de evolução permanente.

Façamos, então, uma decupagem, um passo a passo. Primeiramente, o que é iniciação? Particularmente, **tenho definido iniciação como uma experiência, um processo de vivências iniciáticas encadeadas que visam nos levar a uma nova configuração pessoal consciencial, ao patamar consciencial, com o objetivo de produzir algo novo no contexto em que estamos inseridos.**

A iniciação é uma mudança de configuração consciencial, isto é, de patamar da consciência. Aprecio muito essa ideia de considerarmos o estado de consciência com relação a um patamar e, assim, sermos elevados de patamar a patamar, embora essa metáfora, por assim dizer, possa levar alguém a entender que os iniciados são melhores do que os outros, o que não é verdade. Os iniciados simplesmente estão em configurações diferentes na es-

EXOCONSCIÊNCIA

154

cala evolutiva, mas a ideia de um ser melhor ou pior do que outro é uma comparação desnecessária e completamente inadequada.

Aquele que está no degrau de cima não é melhor do que aquele que está no degrau de baixo, porque o que está no degrau de baixo também chegará ao próximo degrau, uma vez que ele também tem em si a mesma potência que o levará à escalada. A única coisa que faz a diferenciação é que a potência naquele que está no patamar ou degrau de baixo ainda não foi manifestada plenamente para que o eleve... mas é uma questão de tempo.

De fato, a iniciação nos leva a outros patamares e promove em nós outra configuração existencial. Lembre-se de que isso é um **processo encadeado de vivências**; então, a iniciação sempre será um processo de experiências, de fatos, de acontecimentos que aos poucos vão reconfigurando a consciência de forma que a pessoa, gradativamente, vai obtendo um horizonte mais amplo, e esse horizonte mais amplo se integra a quem ela é. Dito de outro modo, essas experiências de fatos e de acontecimentos passam **a fazer parte da nossa identidade** e, ao fazerem parte da nossa identidade, nos levam a atuar no contexto em que estamos.

Tudo isso nos remete ao capítulo em que falei sobre identidade, pertencimento e fluxo. Logo, a iniciação mexe com a nossa identidade, com a definição de quem somos.

Posso dar um exemplo. Quando me formei em marketing, isso me colocou em um novo patamar de consciência dentro do campo profissional, mas também pessoal e como cidadão. A formação em marketing me proporcionou adquirir conhecimentos que reconfiguraram a minha consciência, uma vez que o conhecimento nos altera. E, ao reconfigurar a minha consciência, a nova formação ajudou a definir uma pequena parcela da minha identidade. Desse modo, integro essa iniciação, esse novo conhecimento, a quem eu sou, à minha identidade agora reconfigurada.

Ao passar por uma experiência de contato multidimensional, ao ver um extraterrestre, ou um espírito, e ser contatado, o indivíduo se torna um experienciador. Nos Estados Unidos, eles usam a palavra *experiencer*, um "experimentador", aquele que viveu uma experiência. Essa experiência no processo de exoconsciência passa a integrar a autodefinição, ou seja, a definição que temos sobre nós mesmos. Assim, muitas vezes vemos a pessoa negando, fugindo, passando por situações tensas e conflitantes, até que, em dado momento, ela se sente segura e confortável para afirmar "eu fui contatado", "sou um experimentador", "sou médium", "eu vejo gente morta" (risos), "sou um ser multidimensional", "tenho essa habilidade em mim", entre outras afirmações. Essa experiência o ajudará a definir quem ela é, e quando ela definir quem é, isso o ajudará a definir o seu lugar de pertencimento e flow – e novamente chamo a sua atenção para a correlação ou encadeamento de cada um desses passos ou etapas.

Assim, uma iniciação é um processo de vivências encadeadas que nos leva a uma nova configuração de consciência, de autoconsciência, e essa autoconsciência nos coloca um pouco mais próximos do nosso lugar no mundo, nos leva a ocupar um pouco mais plenamente o nosso espaço, e, fazendo isso, entramos no fluxo.

Quando motivamos o **empreendedorismo espiritualizado ou exoempreendedorismo**, estamos levando esses conceitos para dentro das empresas, porque o próprio Círculo é uma empresa cuja gestão exoconsciente está baseada na Psicologia de Pontos Fortes, em Talentos Naturais. Entendemos o quanto esses talentos naturais ajudam a fortalecer a identidade pessoal e, ao fortalecermos a identidade, somos conduzidos cada vez mais para a ocupação do nosso lugar no espaço e a entrar no flow. **A maneira como experencia-mos as outras dimensões passa pelos nossos talentos naturais.**

Uma vez que sabemos o que é uma iniciação, um processo encadeado de experiências que geram em nós uma nova configuração de consciência, e essa nova configuração de consciência afetará a maneira como nos manifestamos, como nos identificamos e agimos no contexto em que estamos inseridos, nos resta entender o que é uma iniciação em exoconsciência.

Para resgatar da memória, a definição que adotamos no Círculo para **exoconsciência é a habilidade natural que todos temos de entrar em sintonia, em conexão, de fazer comunicação e cocriação com seres e humanidades multidimensionais.** Como você deve se lembrar, tudo começa na sintonia. A sintonia é vista como a predisposição mental ativa e empreendedora, a partir do estado de presença. A sintonia nos leva até a conexão, ao encontro vibratório das intenções mentalizadas envolvidas no processo.

A predisposição mental não é outra coisa senão o foco num objetivo, num ideal comum, entre seres e humanidades que partilham desse mesmo plano mental, uma mesma corrente vibratória, e que entram em conexão conosco. **A conexão é a assimilação dessas entidades que estão na mesma sintonia.** Tudo isso desencadeia o processo de comunicação, ou seja, o fluxo informacional, ativo e interativo em prol do projeto que se desenha naquele ideal, ou a partir de um ideal.

Assim, existe uma pauta! Os seres multidimensionais não são aleatórios, eles são objetivos, lidam com propósitos, metas e agendas específicas. Costumo dizer que eles não vêm "para tomar café com rosquinha conosco". Eles têm uma motivação clara, estão numa sintonia identificável, e, para que haja conexão e comunicação com essa sintonia, é preciso haver uma pauta. Por sua vez, essa pauta não pode estar apenas orientada para o nosso interesse individualista ou egoísta, ou para "o nosso umbigo". Uma pauta de intenção "umbigocêntrica" não serve para cocriação exoconsciente. Ela deve estar orientada para o outro, para fora (exo), para o serviço, para a realização, não apenas com objetivos pessoais, não apenas com objetivos egoístas.

Sabemos que é preciso construir um mundo novo. Esse "mundo novo" é o objetivo da cocriação: a melhoria constante da condição humana a partir de um trabalho de colaboração fraternal e multidimensional. Isso é exoconsciência!

Para que se possa fixar a ideia desses conceitos, resumi esses aspectos no que chamei de fórmula da cocriação. A fórmula pode parecer desafiadora para se compreender, mas o desafio maior é praticá-la.

Como já disse anteriormente, conhecimento gera movimento. Com o tempo, assimilamos novas coisas que vão desequilibrando a nossa antiga compreensão ou entendimento a respeito de tudo, e isso demandará um tempo para que se chegue à equilibração, ou seja, a integração do novo saber ao contexto funcional do nosso dia a dia.

A fórmula que criei para a cocriação exoconsciente resume muitos dos conceitos, ou quase todos os conceitos, que vimos até agora. Primeiramente, a fórmula do fluxo, que orienta sobre como fazer para entrar no flow. Como já vimos isso, então opto por resumi-la da seguinte maneira:

A FÓRMULA DO FLUXO

$$(i+p)^{TN}=f$$

i = identidade | p = pertencimento | TN = talentos naturais | f = fluxo/flow

Onde **i** é identidade, quando sabemos quem somos, **p** é pertencimento, quando ocupamos o nosso lugar na vida e no cosmos. Quando temos identidade e acrescentamos a ela o pertencimento elevado à potência dos Talentos Naturais (TN), que é a autoconsciência dos próprios talentos, isso se eleva, se decuplica. **Assim, identidade mais pertencimento elevado à potência dos talentos naturais resulta no flow.** Então, temos a fórmula do fluxo/flow, a primeira parte da fórmula da cocriação exoconsciente.

A segunda parte da fórmula é a da egrégora. Como vimos, **egrégora é a reunião de forças mentais e de seres em torno de um ideal, de um projeto ou de uma realização.** Quando temos a iniciativa mental de realizar, quando decidimos empreender em alguma área ou segmento, seja o que for (uma empresa, uma família, um evento, uma ação social, um projeto de inovação), essa decisão se manifesta no plano mental e reverbera para além do plano mental. Logo, **seres e humanidades que reconhecem essa mesma vibração se associam e começam a produzir com você a energia mental necessária que flui rumo à realização daquele projeto.**

Um exemplo interessante sobre essa situação acontece quando vamos a um evento, como um show. Quando ainda estamos na bilheteria, antes de entrarmos no local onde o show acontecerá, se manifesta aquela expectativa gostosa e dizemos: "Cara, que máximo! Estou prestes a ver o artista tal...". Então, entramos na pista e sentimos um ambiente diferenciado, aquela atmosfera e clima excitantes. Evidentemente muito do que vemos ali é cenográfico, e foi planejado para envolver os nossos sentidos. Mas também há o impacto da psicosfera, do plano mental em torno daquele show, que faz com que entremos naquela egrégora. Todos ficamos animados, ficamos excitados, e todos os pensamentos e sensações reverberam, ejetam, por assim dizer, irradiando energia.

Toda essa energia irradiada que se soma é gerenciada por esses seres e humanidades multidimensionais, gerando aquela egrégora específica, uma cúpula de força em torno daquele evento, e aquilo faz a experiência se potencializar.

Quando o artista termina o show e desliga o microfone e se acendem as luzes, a sensação se esvai, acaba o encanto da egrégora e naquele momento se vão todas aquelas sensações maravilhosas.

Quando falamos de cocriação exoconsciente, falamos do fluxo pessoal de cada um que se soma a um coletivo a partir de um ponto em comum, que é a intenção de contribuir e de colaborar para a melhoria da raça humana na Terra. **Assim, existe uma confluência de dimensões!** Como formamos uma egrégora? Como reconhecemos uma egrégora? Vejamos outra fórmula.

FÓRMULA DA EGRÉGORA

$$\left\{ (V \equiv v) . \frac{C^3}{T} \right\}$$

V = valores universais | v = valores pessoais
C^3 = consciência, coerência e consistência | T = tempo

Alguns leitores imaginarão que isso parece coisa de gênio, mas fique tranquilo, pois não é. Isso é apenas uso da lógica filosófica para resumir numa equação os conceitos que são muito amplos.

O **V** maiúsculo equivalente ao **v** minúsculo significa: **V** de **valores universais** (maiúsculo) e v (minúsculo) de reverberação desses valores no indivíduo. **São os valores pessoais de cada um.**

Assim, a primeira necessidade contemplada para a formação de uma egrégora passa pela qualidade de valores que assimilamos e que manifestamos em nós. Não adianta ler o Evangelho todos os dias, não adianta propagar boas notícias que apenas se manifestam da boca para fora, não adianta gritar "Senhor! Senhor!".

Quando digo que essa é uma premissa para a criação de uma egrégora, é porque existe uma premissa de equivalência entre os valores que temos interiormente e manifestamos na vida e os valores que reconhecemos fora de nós, valores superiores que inspiram os valores interiores. Se não houver essa equivalência de valores, há hipocrisia declarada e não haverá a formação de uma egrégora exoconsciente, de uma egrégora que queira trabalhar com cocriação.

> Todos os homens em suas atividades, profissões e associações são instrumentos das forças a que se devotam. Produzem, de conformidade com os ideais superiores ou inferiores em que se inspiram, atraindo os elementos invisíveis que os rodeiam, conforme a natureza dos sentimentos e ideias de que se nutrem.[24]

Não haverá frutos positivos quando se diz aos quatro ventos que se é uma pessoa do bem, mas, por outro lado, o que se pretende é o mal do próximo, o seu prejuízo, ou que ele saia da frente para ocuparmos o seu lugar. Havendo um quadro como esse, não haverá equivalência entre os valores maiores e os valores que manifestamos. Por outro lado, quando falamos que nos preocupamos com o outro e trabalhamos por ele, pensamos nele todos os dias e buscamos formas de colaborar, de melhorar as coisas ao nosso redor, no contexto

---

24. XAVIER, Francisco Cândido André Luiz. *Nos domínios da mediunidade.* Federação Espírita Brasileira. Brasília, 1955, cap. 29.

em que estamos inseridos, aí existe uma equivalência entre os valores que reconhecemos fora e os valores que reconhecemos dentro, e isso é uma premissa para a formação de uma egrégora.

Se não houvesse equivalência, se essa equivalência fosse igual a zero, isso não daria para ser multiplicado. Tudo o que multiplicamos por 0 dá 0, até mesmo 1 bilhão vezes zero é igual a zero. O zero anula a possibilidade de multiplicação, qualquer que seja o valor. Quando a equivalência é verdadeira, quando ela existe, existe reverberação entre os valores maiores e mim. Então, nessa situação, isso multiplica a equação, e o resultado surge naturalmente.

A equivalência dos valores é multiplicada por C^3 dividido por T. O que isso significa? **Consciência, coerência e consistência,** que são os três Cs. Note que o C^3 (ou C elevado à terceira potência, que são consciência, coerência e consistência) está sobre T, que significa **ao longo do tempo.** A formação de uma egrégora passa pela consciência, pela coerência e pela consistência ao longo do tempo. Veja como as fórmulas são pedagógicas, elas visam facilitar a memorização e o entendimento desses processos, e não é preciso fazer um curso de matemática avançada para compreendê-las.

Uma egrégora não irá se formar do dia para a noite, porque o tempo, ou melhor, a estrutura espaço-temporal, a estrutura do nosso corpo físico, foi projetada no espaço-tempo para amortecer os impactos daquilo que vivenciamos no espírito. Logo, **o tempo é uma bênção para a educação da nossa mente.**

O tempo tem uma função pedagógica para a mente humana. Imagine se tudo aquilo que pensamos se materializasse imediatamente em nosso corpo físico ou na realidade que nos cerca. Provavelmente, a essa altura da nossa existência, já não teríamos nenhum ser vivo no planeta Terra! Mas estamos aqui para educar a nossa mente, para aprendermos a educar a nossa vontade, a direcioná-la ao rumo certo e desejável de acordo com os melhores propósitos, com as melhores agendas. O tempo funciona como um "amortecedor" para que a gente não sofra os impactos da vontade imediatamente.

Se o tempo amortece a nossa vontade, aquilo que brota em nossos pensamentos, ele também amortece toda a nossa atividade mental, de maneira que precisamos **sustentar** ao longo do tempo, com consciência, com coerência e com consistência, a nossa própria vontade. Ou seja, **quando manifesto a equivalência entre valores internos e universais, com coerência, consistência e consciência ao longo do tempo, começo a gerar ao meu redor uma egrégora.** Ela não se forma com uma conversa somente. Uma egrégora não se forma apenas com promessas de amor e expressões interiores de boa vontade. Não! Por isso, podemos resumir a equação da cocriação exoconsciente:

COCRIAÇÃO EXOCONSCIENTE

$$(i+p)^{TN} + \left\{ (V \equiv v) . \frac{C^3}{T} \right\} = \infty$$

i = identidade | p = pertencimento | TN = talentos naturais
V = valores universais | v = valores pessoais | C^3 = Consciência, Coerência e Consistência | T = tempo

Novamente, a equação parece coisa de gênio, mas não é. Então, temos identidade somada ao pertencimento elevado à potência dos nossos talentos naturais, somado à equivalência entre os valores maiores e os que manifestamos em nós, multiplicados com consciência, coerência e consistência ao longo do tempo, e temos como resultado a cocriação exoconsciente! Essa é uma fórmula longa, mas, uma vez que você associe as letras ao conceito, tudo se resolverá com facilidade.

O símbolo do infinito é um símbolo muito marcante para nós, porque é a forma como a nossa egrégora assina muitas reuniões, com psicografia indireta. Assim, simbolicamente, trouxemos o símbolo do infinito para representar em nossa equação a cocriação exoconsciente, a cooperação multidimensional para a qual somos convidados a participar.

Essa fórmula é absolutamente poderosa. Ela representa anos de experimentação e observação da nossa escola e vai se acomodando em cada um de nós ao longo do tempo. Nesse momento, o mais importante é você focar no início de cada equação: identidade e equivalência de valores. É preciso que você saiba quem é e que reconheça os valores maiores e os pratique ao longo da sua vida. O restante do seu desenvolvimento virá aos poucos, gradativamente; mas saiba que virá!

Para encerrar este capítulo, quero mencionar a filósofa Marilena Chaui, de seu livro *Introdução à História da Filosofia*, no qual ela explica o que é uma escola filosófica. Como você já sabe o que é iniciação, já sabe o que é exoconsciência e já sabe qual é a fórmula da cocriação exoconsciente, resta entender o que é uma escola filosófica, porque, tendo recebido os conteúdos apresentados neste livro, você é parte consciente de uma escola dessa natureza.

Entre os povos antigos e entre os helenistas, que são gregos, a palavra escola é apresentada com outro sentido, diferente do que temos em nosso país, como explica Marilena Chaui. Para os antigos, a escola filosófica pode ser definida como o modo de vida orientado pela escolha de uma opinião entre várias outras, como uma doutrina, que orienta a vida prática do seu fundador e dos seus membros. A escola é o lugar em que essa doutrina é discutida. A palavra escola vem grego *skholé*, e quer dizer ócio. O ócio acontecia na escola filosófica, mas evidentemente não era o ócio improdutivo. Por exemplo, a escola de Aristóteles, que foi o Liceu, era um lugar mantido pelo próprio Aristóteles, aonde os alunos iam depois de realizar os seus trabalhos. Nela havia um jardim, e os alunos caminhavam e discutiam as ideias propostas. E era nesse momento que acontecia o ócio, por se tratar de um tempo contraposto ao trabalho bruto, braçal.

Quando vejo essa definição, recordo-me de Chico Xavier no programa "Pinga-Fogo", de 1971, dizendo que **"num futuro próximo, nós seremos aposentados dos trabalhos mais rudes para nos dedicarmos a nossa educação mental"**. Chico Xavier previa o nosso futuro como um futuro filosófico. O futuro vai exigir de nós a formação de escolas filosóficas, para que possamos executar a transição do mundo! Para que isso aconteça, são necessárias mais e mais escolas filosóficas.

Observe que a escola em si não é um lugar; a escola filosófica é um estilo de vida. Quando você diz que faz parte de uma escola filosófica, não significa que frequenta um prédio, um templo, uma estrutura de alvenaria, um lugar específico. Significa que você tem um estilo de vida pautado na escolha ou no aprendizado de um caminho, na escolha de uma opinião, mas também significa que você conhece todos os caminhos possíveis, porque escolher é um verbo de inteligência, *intelligere*, que é "escolher dentre". Para que você escolha dentre, é preciso conhecer as opções, e é isso que uma escola filosófica faz ou proporciona. **Ela é um estilo de vida que nos ajuda a escolher dentre as opções, e como estilo de vida, podemos dizer que no Círculo escolhemos como estilo de vida a cocriação exoconsciente. Faz parte do nosso DNA, faz parte de quem somos.**

CAPÍTULO 7

COCRIANDO UMA NOVA TERRA

COCRIANDO UMA NOVA TERRA

Em 1993, o Dr. Hagelin e os pesquisadores ligados à Universidade Maharishi tiveram a oportunidade de testar em Washington a afirmação de Maharishi Mahesh Yogi, que declarou, nos anos 1960, que, se 1% da população mundial praticasse sua forma de meditação, as guerras desapareceriam da face da Terra.

Estudos anteriores mostraram que, durante um período de seis meses em que a temperatura subia na cidade, os níveis de criminalidade também se elevavam. Um grupo de meditadores foi criado no início do semestre até atingir 2.500 membros – o número previsto para conseguir o efeito positivo desejado, equivalente a algo em torno de 0,17% da população da capital (no final, o grupo chegou a quatro mil praticantes). Nesse momento, registrou-se uma queda expressiva nos índices de crimes, mesmo levando-se em conta todos os fatores que poderiam interferir nisso.

O trabalho foi desenvolvido com a polícia, o FBI e 24 cientistas sociais e criminologistas. "Previmos uma queda de 20% no índice de crimes e conseguimos 25%", conta Hagelin. Entre os surpreendidos com o resultado estava o chefe de polícia de Washington, que, antes do estudo, dissera à televisão algo como "precisa cair uns trinta centímetros de neve em junho (mês quente em Washington) para reduzir o índice de crimes em 20%". No fim, seu departamento dobrou-se às evidências e assinou como coautor uma monografia a respeito do caso ("Effects of Group Practice of the Transcendental Meditation Program on Preventing Violent Crime in Washington, D.C.: Results of the National Demonstration Project, June-July 1993", na edição de junho-julho de 1999 da revista *Social Indicators Research*).

Já existem mais de 60 experiências nas quais um número pequeno de pessoas, usando a meditação transcendental, conseguiu influenciar cidades e até países a reduzir sua violência.

"A humanidade está cada dia pior e vem me vem falar de Nova Terra?" Ok, preciso contar uma história. Quem mora em determinados condomínios tem, próximo à vaga de garagem, um pequeno depósito, um *storage* para armazenar objetos que não são muito utilizados. Eu morava em um condomínio e tinha um espaço desses, de uns dois ou três metros quadrados. Um dia bati o olho e vi a bagunça que o meu depósito estava. E decidi acabar com ela. Abri a porta e não dava para entrar, de tantas caixas e tranqueiras de todo tipo que estavam ali.

Mas percebi, dando um passo para trás e imaginando o espaço como se fosse um cubo, o que realmente era, que as minhas coisas ocupavam a parte de baixo do cubo, enquanto a parte de cima estava disponível. Então, a impressão inicial era que o espaço estava todo ocupado, mas na verdade não era bem assim. O espaço horizontal estava ocupado, mas havia o espaço vertical. Logo, surge nesse processo de transição a ideia de verticalizarmos o paradigma. Como? Com prateleiras.

Comprei e instalei as prateleiras. Mas surgiu um problema. Eu tinha consciência de que o paradigma antigo já não funcionava, tinha a noção de que o novo paradigma me traria a solução de que precisava. Mas há o processo de transição do antigo paradigma para o novo, ou seja, precisei tirar toda aquela bagunça, caixas e tranqueiras de dentro do espaço para instalar o novo paradigma.

À medida que comecei a tirar tudo aquilo para fora, a bagunça pareceu se multiplicar, e, de repente, as caixas tinham tomado quase todo o estacionamento do prédio! Ou seja, a realidade inicial parecia estar piorando à medida que havia decidido empreender o novo paradigma.

A piora aparente era apenas o primeiro passo do estabelecimento do novo paradigma. Quando, finalmente, coloquei as prateleiras no espaço, olhei para toda a bagunça que estava escancarada e passei a avaliar o que valia a pena voltar para dentro do depósito no novo paradigma e o que eu não precisaria mais guardar.

Esse é o processo que o nosso planeta está vivendo neste momento. Tiramos todas as coisas do nosso depósito e elas estão escancaradas graças à rede global de computadores, graças a esse momento de conectividade ampla e ao acesso à informação com a qual nunca tivemos contato e com a humanidade presente no planeta. Agora, o trabalho a ser feito é escolher o que vale a pena continuar conosco, e o que vale a pena liberarmos.

Portanto, não concordo com a afirmação de que estamos em um momento pior ou de retrocesso. **A bagunça apenas está exposta, e é a mesma bagunça, são as mesmas coisas, e cabe a cada um de nós, com a devida consciência do novo paradigma, escolher o que vale a pena ficar neste planeta e o que vale a pena liberar.**

Transição planetária e Nova Terra

Estamos diante de um processo de transição planetária, um período de grandes desafios e provações. Há um papel do ser humano exoconsciente diante da transformação e da regeneração do planeta. **No epicentro do conceito de exoconsciência está a cocriação. A cocriação pressupõe empreendedorismo, decidir-se a realizar.**

Não se trata de todos nós abandonarmos os nossos empregos e nos tornarmos terapeutas holísticos ou coisa do tipo. Não se trata de sairmos da sociedade e nos refugiarmos no mercado da espiritualidade, no qual só se fala de espiritualidade, de autoconhecimento, e formarmos uma espécie de comunidade *hippie* virtual, que vive à parte do mundo. Também não se trata de separar a espiritualidade da vida cotidiana.

Trata-se de trazer e de integrar a dimensão espiritual como epicentro do círculo, ao centro das dimensões humanas, fazendo com que todas as dimensões da nossa vida – física, psíquica, orgânica, biológica e sociológica –, os nossos relacionamentos, as nossas emoções, a funcionalidade e a nossa relação com o meio ambiente girem em torno de um epicentro espiritual.

O que é um epicentro espiritual senão o conjunto de experiências e vivências místicas que ancoram em nós valores que estão além daquilo que pode ser precificado na nossa sociedade? Quando entendemos esse conceito de espiritualidade como o eixo de nossa vida, decidimos empreender e realizar, decidimos trazer à presença a cooperação e o *know-how* desses seres e humanidades multidimensionais para a criação de soluções práticas para nossa vida na Terra.

Não se preocupe com a opinião das outras pessoas a seu respeito. Elas estão fascinadas e iludidas pelas aparências. Mantenha-se firme em seu propósito. (…) Evite tentar conquistar a aprovação e admiração dos outros (…) Na realidade, desconfie se for visto pelo outros como alguém especial. Fique alerta para não adquirir um falso sentimento de autoimportância. Manter sua vontade em harmonia com a verdade e preocupar-se com o que está além de seu controle são princípios mutuamente exclusivos. Enquanto estiver absorvido por um deles, você irá obrigatoriamente negligenciar o outro.[25]

Isso não é um mecanismo de fuga e geração de fantasias psíquicas, que fazem com que nos sintamos seres especiais, escolhidos a dedo por seres de luz etc., que de alguma forma justificam a nossa frustração psicológica com a decepção e com a nossa incapacidade de realização na vida. Não, não se trata disso. Pelo contrário, trata-se de empoderarmos o nosso ser a partir da noção dos talentos naturais que temos e da interação com esses seres, para que encontremos o caminho do fluxo da realização na nossa vida. **A questão não é fazer da espiritualidade o seu trabalho. A questão é fazer o seu trabalho de forma espiritual!**

Uma questão que considero fundamental, e que diz respeito aos pilares da Nova Terra, é sobre o "fim dos tempos", isto é, como ocorrerá a transformação, a regeneração do planeta. Emmanuel responde de modo muito direto:

---

25. EPICTETO; LEBELL, Sharon (org.). A arte de viver: O manual clássico da virtude, felicidade e sabedoria. Tradução: Maria Luiza Newlands da Silveira. Rio de janeiro: Sextante, 2018. p.40.

Por meio da **busca da espiritualização, da superação das dores, da construção de uma nova sociedade,** a humanidade caminha para a regeneração das consciências. Emmanuel afirma que a Terra será o mundo regenerado por volta de 2057. Cabe a cada um de nós longa e árdua tarefa de ascensão, trabalho e amor ao próximo com Jesus. Esse é o caminho.

Vamos por partes. Os conceitos de Emmanuel são muito densos, precisamos diluir para conseguir absorver. Primeiro ponto: a humanidade caminha para a regeneração das consciências. O planeta não vai mudar, vai permanecer o mesmo. Não haverá salto, milagre ou mágica: **o que muda no planeta são as nossas consciências, regeneradas.**

Em seguida vêm a busca da espiritualização e a construção de uma nova sociedade. Não se trata de busca da "espiritização" ou de "cristianização"; ele disse busca da espiritualização. **A espiritualidade é o ápice do processo de autoconhecimento,** porque num processo como esse o que se busca é consolidar a sua identidade. E como se consolida sua identidade? Compreendendo o *continuum* da vida.

O conhecimento patrocina a libertação de nós mesmos, o conhecimento consolida a identidade. Então não é uma espiritualidade cheia de "igrejices", é uma espiritualidade para livres pensadores espiritualizados.

Outro ponto é a superação das dores. Aquele que tem consciência da sua identidade exerce a sua cidadania cósmica, passa a viver de acordo não apenas com as leis que regulamentam a sua cidade, o seu estado ou seu país, mas também com as leis que regulamentam o Universo. E o exercício da cidadania cósmica não é outra coisa senão o exercício do poder e da autonomia da nossa mente.

Não é mais a minha experiência que me controla, mas sou eu que controlo a minha experiência; não é mais a minha mediunidade que me controla, mas eu controlo a minha mediunidade, porque a mente está dando forma. Se a mente está dando forma, o que começa a acontecer? Começa a acontecer a superação das dores.

Você aprende a tomar posse daquilo que é seu. E ao fazer isso, ocupa o seu lugar, pois identidade gera pertencimento. O que é pertencimento? É saber nosso lugar na vida e no cosmos, saber para que viemos, quem somos, o que temos de fazer. Como Jesus disse no Sermão da Montanha: "Seja o seu sim, sim, e o seu não, não". O nome disso é coerência, é simples e não tem mistério.

Coerência é o que está gerando o maior volume de demissões voluntárias da história. Nunca foi tão grande o número de pessoas que pediram demissão. Só no Brasil, são seiscentas mil pessoas que tiveram a ousadia de se desligar de seus empregos, pois não viam mais sentido na proposta da vida corporativa. É impressionante como o mercado corporativo ignora os valores da pessoa: o sujeito diz estar infeliz e perguntam quanto de dinheiro a mais ele precisa para que cale a boca e continue trabalhando, mas ignoram a necessidade que o indivíduo tem de se conectar ao que faz sentido.

Quando tenho identidade, pertencimento, coerência, eu não aceito, dou um basta. Isso é estoicismo na prática; tenho controle sobre a minha identidade e sobre o lugar que ocupo, não faço mais parte disso.

Pesquisas mostram que esses estressores no local de trabalho, como longas jornadas, insegurança econômica, altas demandas, são tão prejudiciais à saúde quanto o fumo passivo. É tóxico viver sem propósito, é tóxico e mata; viver numa sociedade sem sentido é tóxico e mata. A nova geração não foi feita para o velho paradigma, a nova geração foi feita para a Nova Terra, e os executivos ainda não entenderam isso.

Conhecimento gera movimento. Quem supera as dores e age com coerência se sente pertencente a esse movimento. E esse movimento gera a construção de uma nova sociedade. A Nova Terra é o resultado da construção; o caminho da regeneração da consciência, portanto, passa pelo esforço de construir uma nova sociedade. O processo de construir a nova sociedade é parte do exercício de regeneração da nova consciência, ou seja, pensar o novo é parte daquilo que vai levá-lo ao novo, só que pensar dói. É ser luz e sal onde não querem saber de luz e sal.

Exoconsciência é esse intercâmbio lúcido e multidimensional para empreender o novo. É a efervescência criativa em todas as áreas da vida. Há um ponto importante que precisamos destacar: Emmanuel falou em uma data, 2057. O que vai estar acontecendo nessa época? Não será nossa geração que irá experimentar a Terra regenerada; nosso trabalho é não estorvar, é abrir o caminho. Somos as novas vozes que clamam no deserto, como João Batista: "Preparai o caminho do Senhor". Porque essa geração vai refletir o Cristo como Cristo deve ser refletido, e o nosso trabalho é suavizar, é aplainar o caminho, prepará-lo.

O projeto Nova Terra é só a primeira etapa de um projeto muito maior, que gosto de chamar de "O Reino". É a conclusão de tudo aquilo que o apóstolo João previu no livro do Apocalipse. No último capítulo, aquele que está sentado no trono diz: "Eis que eu faço novas todas as coisas", e quando ele olha para a frente, diz o seguinte: "Então eu vi surgir novos céus e Nova Terra". O projeto Nova Terra é sobre isso, é sobre você olhar para dentro de si mesmo e encontrar as sementes desse Reino, porque o reino de Deus está no meio de nós.

Quais são os seus talentos que estarão à disposição da Nova Terra? Quais os seus potenciais? Qual é a energia que você vai empregar para construir a Nova Terra, para inaugurar a primeira fase do Reino? A energia está dentro de nós, então precisamos olhar para dentro agora, para nosso interior, porque o projeto todo está ali, o Universo todo está ali. Não sei o que o limita e o que o impede, o que tem travado seu projeto de vida. Proponho um exercício agora: tenha coragem de olhar para suas covardias, tenha coragem de encarar as suas misérias de frente, seus fracassos. Todos que hoje são excelentes um dia foram fracassados, então devemos insistir além do fracasso até sermos excelentes.

Porque é sobre isso, é sobre consistência, sobre tempo! Encare tudo aquilo que você já poderia estar fazendo e não está, porque está negando a própria identidade, porque está deixando de ocupar o seu lugar, está deixando entrar no fluxo do Universo. **Olhe para dentro de você e lembre-se de que o projeto é sobre quem você pode ser.**

Permita que o movimento espiritual que se iniciou com a escrita deste livro o envolva, envolva o seu coração, envolva a sua disposição de realizar. Esse verbo é muito forte. **O Círculo Escola é lugar de gente realizadora, é lugar de gente que toma a decisão de realizar, de tirar do plano mental e materializar.**

Cultura exoconsciente

O processo de cocriação se dá de diversas maneiras, porque cada um de nós, como seres singulares, tem um caminho singular. No caso do Círculo como empresa, nosso time realiza periodicamente uma reunião de comunicação com a nossa egrégora. Sempre que possível fazemos isso pessoalmente, mas, como boa parte do nosso time trabalha em regime de *home office*, o modelo por videoconferência nos atende muito bem. Em certas ocasiões, fazemos uso de uma prancheta, que tocamos levemente com a ponta dos dedos e aguardamos. As energias reunidas no momento movem a prancheta, escrevendo palavras e mensagens que têm a ver com o cotidiano da nossa empresa, com aquilo que fazemos.

As mensagens entre as esferas do Círculo muitas vezes são antecipadas por sonhos, clarividências ou até por processo psicofônico, em que percebemos influências nas nossas cordas vocais, e uma perda do controle da fala, de maneira que a velocidade do pensamento e aquilo que se expressa foge à nossa capacidade racional de processamento.

Tudo isso é gravado, transcrito e disponibilizado no site. À medida que os anos passam, vemos manifestado o conceito de consistência e coerência ao longo do tempo. Documentamos isso e percebemos que, mais cedo ou mais tarde, essa integração com a equipe espiritual e com a egrégora que rege o projeto do Círculo tem trazido frutos extraordinários. Hoje olhamos para comunicações que nos foram dadas há muito tempo e percebemos o seu sentido, anos depois!

Diário Espiritual do Círculo

Mantemos a publicação do Diário Espiritual do Círculo desde sua fundação, em 2017. Você pode acessar o conteúdo das comunicações da nossa egrégora aqui.

Entendemos nossa escola em sua tríplice expressão:

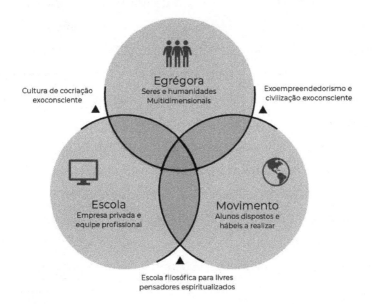

Efeitos muito interessantes também acontecem através de equipamentos eletrônicos, sobretudo quando os seres multidimensionais ou extraterrestres procuram interferir. Já tivemos orientações captadas durante um processo de gravação, usando microfone de lapela e gravador, mesmo com esses equipamentos tendo alcance pequeno. Certa ocasião, eu estava trancado em meu quarto, com a porta e a janela fechadas, gravando um exercício de meditação, e entre uma fala e outra é possível ouvir nitidamente na gravação um distúrbio eletromagnético que lembra aquele efeito sonoro do personagem Magneto nos filmes *X-Men*; um distúrbio eletromagnético e uma voz que dá uma instrução: **"No seu escritório"** – era a resposta para uma pergunta que havia alguns meses estávamos nos fazendo.

A interferência desses seres e a sua anuência são constantes, a sua colaboração conosco é diária. Desde pensamentos que

JULIANO POZATI

surgem até ideias que são confluentes na equipe. A equipe toda passa a pensar no mesmo sentido de um momento para o outro, ao mesmo tempo, e ocorrem até efeitos mais objetivos com equipamentos eletrônicos. Já tivemos ocasiões em que os brinquedos com sensor infravermelho do meu filho simplesmente ativavam-se sozinhos, e eu iniciava o processo de perguntas: "Tudo bem? Estou falando com alguém da egrégora? Se eu estiver falando com alguém da egrégora, por favor, toque a sirene do caminhão de bombeiro", e a sirene do caminhão de bombeiro do meu filho tocava. "Vocês estão querendo conversar alguma coisa comigo?" Outro sinal sonoro acontecia.

Esses fenômenos, entre muitos outros, são interessantes no processo de desenvolvimento exoconsciente, mas posso garantir que o que parece extraordinário é apenas o começo. Adote hoje um estilo de vida exoconsciente e descubra por que o nosso lema é **"o melhor ainda está por vir"**.

CAPÍTULO 8

SOBRE O CÍRCULO ESCOLA FILOSÓFICA

SOBRE O CÍRCULO ESCOLA FILOSÓFICA

O Círculo é uma escola filosófica exoconsciente, livre, prática, descomplicada e moderna. Ensinamos filosofia e espiritualidade de um jeito fácil de entender e simples de aplicar na vida prática, porque queremos colaborar para que as pessoas realizem seu potencial, de boa e no fluxo.

Saiba mais sobre nós em

www.circuloescola.com

Uma filosofia que marca

Exoconsciência é a nossa bandeira, nossa filosofia de vida. Nessa marca, eu quis condensar alguns conceitos indissociáveis dessa ideia em signos que falam mais do que as letras que representam.

E – **Educação e Empreendedorismo Multidimensional:** estamos comprometidos em cocriar um mundo saudável de indivíduos livres com consciência avançada. Nascemos para gerar um movimento filosófico livre e espiritualizado. Esse ícone representa os níveis de consciência e as dimensões envolvidas na Educação e no Empreendedorismo Exoconsciente: autoconsciência, integração, autonomia moral, colaboração e cocriação.

X – **Cultura de Cocriação Exoconsciente:** esse ícone representa o equilíbrio da cocriação: feminino-masculino, yin-yang, cosmos e Terra. A pirâmide invertida representa as multidimensões acessíveis aos humanos exoconscientes, o que começa com uma consciência interior, ancorada e equilibrada. A pirâmide ascendente representa nosso paradigma exoconsciente ascendente de dentro para fora, na busca da realização do seu potencial e propósito mais elevado. Juntos elas formam uma ampulheta que representa a natureza da confiança na relação multidimensional: a consistência ao longo do tempo, a partir do tempo e para além do tempo.

O – **O Círculo:** como escola filosófica exoconsciente, o Círculo representa <u>um estilo de vida pautado no intercâmbio lúcido com seres e humanidades multidimensionais.</u> Somos uma escola livre, prática, descomplicada e moderna e ensinamos filosofia e espiritualidade com um jeito fácil de entender e simples de aplicar na vida prática. Mais do que um lugar para pertencer, ou um edifício para nos conter, o Círculo é um estado mental e um estilo de vida do qual participam, em comunidade, todos os que nele se entendem como eternos alunos da sabedoria universal.

POSFÁCIO

POSFÁCIO

Comunicar as elevadas expressões da existência humana às pessoas, reconectando o seu potencial latente ao fluxo da realização é, sem dúvidas, um desafio de proporções multidimensionais, haja visto que a humanidade terrestre ainda jaz, inerte, em distrações incoerentes que só fazem atrasar a marcha do progresso existencial.

Sustente sua fé pela força interior que habita em você, e siga um passo por vez, um passo de cada vez. Sempre mais, sempre disposto, sempre avante.

As recompensas da jornada são conquistadas a cada novo passo. Caminhar é, em si, a grande riqueza do Movimento.

O Movimento é vida, liberdade e expressão do amor daquele que é Pai sem igual.

Lavore na vida, da semeadura ao fruto, da poda à sombra fresca, e veja que em tudo está o amor do **Pai de Todas as Coisas**.

Da turma de cá.

16 de outubro de 2020[26]

JULIANO POZATI

---

26. Psicografia assinada pela Egrégora do Círculo Escola Filosófica.

CITADEL
Grupo Editorial

Livros para mudar o mundo. O seu mundo.

Para conhecer os nossos próximos lançamentos
e títulos disponíveis, acesse:

🌐 www.**citadel**.com.br

f /**citadeleditora**

📷 @**citadeleditora**

🐦 @**citadeleditora**

▶ Citadel – Grupo Editorial

Para mais informações ou dúvidas sobre a obra,
entre em contato conosco por e-mail:

✉ contato@**citadel**.com.br

CPSIA information can be obtained
at www.ICGtesting.com
Printed in the USA
LVHW041256260723
753241LV00010B/792